Diogenes Taschenbuch 20118

W0321420

George Orwell

Farm der Tiere

Eine Fabel

Aus dem Englischen
von N. O. Scarpi

Diogenes

Titel der englischen Erstausgabe: ›Animal Farm‹
Copyright © 1945 by The Estate
of the late Eric Blair
Die deutsche Erstausgabe
erschien 1946
Umschlagzeichnung von Tomi Ungerer

Alle deutschen Rechte vorbehalten
Copyright © 1974 by
Diogenes Verlag AG Zürich
500/81/8/12
ISBN 3 257 20118 4

Erstes Kapitel

Mr. Jones von der Herrenfarm hatte abends die Hühnerställe zugesperrt, aber er vergaß in seiner Betrunkenheit, die Klappen zu schließen. Der Lichtring seiner Laterne tanzte vor ihm her, als er jetzt über den Hof schlurfte, er zog vor der Hintertüre seine Stiefel aus, gönnte sich in der Vorratskammer ein letztes Glas Bier und stieg dann ins Schlafzimmer hinauf, wo Mrs. Jones bereits friedlich schnarchte.

Kaum war das Licht im Schlafzimmer erloschen, da erhob sich ein Scharren und Flattern in sämtlichen Farmgebäuden. Es hatte sich herumgesprochen, daß Old Major, der preisgekrönte Eber, in der vergangenen Nacht einen seltsamen Traum geträumt habe, den er den anderen Tieren mitzuteilen wünsche. Man hatte sich dahin verständigt, daß alle sich in der großen Scheune treffen sollten, sobald Mr. Jones aus dem Wege war. Old Major – so wurde er immer genannt, obgleich er unter dem Namen Willingdon Beauty ausgestellt worden war – genoß auf der Farm so hohe Achtung, daß jeder bereit war, eine Stunde Schlaf zu opfern, um zu hören, was der alte Eber zu sagen hatte.

An dem einen Ende der mächtigen Scheune gab es eine Art Estrade. Dort hatte Old Major es sich bereits auf seinem Strohlager bequem gemacht, unter einer Laterne, die an einem Balken hing. Er war zwölf Jahre alt und in letzter Zeit ziemlich fett geworden, aber er war immer noch ein Schwein von majestätischem Äußeren; er wirkte weise und gütig, obwohl seine Hauer niemals gekappt worden waren. Bald erschienen auch die anderen Tiere und richteten sich, jedes auf seine Art, behaglich ein. Zuerst kamen die drei Hunde, Glockenblume, Jessie und Schnapper, und dann die Schweine, die sich im Stroh unmittelbar vor der Estrade niederließen. Die Hühner hißten sich auf die Fenstersimse, die Tauben flatterten auf die Dachsparren, die Schafe und Kühe lagerten sich hinter den Schweinen und begannen, ihr Futter wiederzukäuen. Die beiden Wagenpferde, Boxer und Clover, kamen miteinander, sie schritten sehr langsam und setzten ihre starken, buschigen Hufe behutsam auf, denn es mochten ja irgendwelche kleinen Tiere im Stroh verborgen sein. Clover war eine untersetzte Mutterstute, die sich den mittleren Jahren näherte und nach der Geburt des vierten Fohlens ihre Gestalt nie mehr ganz wiedergefunden hatte. Boxer war ein mächtiges Tier, beinahe achtzehn Faust hoch und so stark wie zwei gewöhnliche Pferde zusammen. Eine lange Blesse auf der Nase gab seinem Äußeren unleugbar etwas Albernes, und er war tatsächlich keine Intelligenz von hohen Graden, aber das Gleichmaß seines Charakters und seine ungeheure Arbeitskraft bewirkten, daß er sich allgemeiner

Achtung erfreute. Hinter den Pferden kamen Muriel, die weiße Ziege, und Benjamin, der Esel. Benjamin war das älteste Tier auf der Farm und das übellaunigste dazu. Er sprach selten, und wenn, so war es gewöhnlich nur, um irgendeine zynische Bemerkung zu machen – so sagte er, zum Beispiel, Gott habe ihm einen Schwanz geschenkt, um die Fliegen abzuhalten, ihm aber wäre es lieber, wenn es weder Schwanz noch Fliegen gäbe. Er, als einziges unter allen Tieren der Farm, lachte niemals. Fragte man ihn warum, so entgegnete er, er sehe nichts, worüber es zu lachen lohnte. Nichtsdestoweniger hing er, ohne es offen zuzugeben, zärtlich an Boxer, die beiden verbrachten gewöhnlich ihre Sonntage miteinander in der kleinen Koppel hinter dem Obstgarten, grasten friedlich nebeneinander und wechselten nie ein Wort.

Kaum hatten die beiden Pferde sich niedergelegt, als eine Schar kleiner Enten, die ihre Mutter verloren hatten, hereingewatschelt kam, leise schnatterte und links und rechts nach einem Platz ausguckte, wo sie nicht getreten werden konnten. Clover machte mit ihrem langen Vorderbein eine Art Mauer um sie, darin kauerten die Entlein sich zusammen und schliefen sogleich ein. Im letzten Augenblick kam Molly, die törichte, aber reizende weiße Stute, die Mr. Jones' hochrädriges Wägelchen zog, zuckerkauend hereingetänzelt. Sie wählte ihren Platz sehr

weit vorn und begann kokett ihre weiße Mähne zu schütteln, die mit roten Bändern durchflochten war. Zuallerletzt erschien die Katze, die sich, wie gewöhnlich, nach dem wärmsten Platz umsah und schließlich zwischen Boxer und Clover einrollte; hier schnurrte sie behaglich während der Rede Old Majors und hörte kein Wort von dem, was er sagte.
Nun waren alle Tiere da bis auf Moses, den zahmen Raben, der auf einer Stange vor der Hintertüre schlief. Als Major sah, daß sie alle es sich bequem gemacht hatten und aufmerksam warteten, da räusperte er sich und begann:
»Kameraden, ihr habt bereits von dem seltsamen Traum vernommen, den ich in der letzten Nacht geträumt habe. Doch auf diesen Traum komme ich erst später. Zunächst habe ich euch etwas zu sagen. Ich glaube nicht, Kameraden, daß ich noch sehr viele Monate unter euch sein werde, und bevor ich sterbe, halte ich es für meine Pflicht, auf euch die Weisheit zu vererben, die ich mir erworben habe. Ich habe ein langes Leben hinter mir, ich hatte viel Zeit, nachzudenken, während ich allein in meinem Koben lag, und ich darf wohl sagen, daß ich den Sinn des Lebens auf dieser Erde ebenso gut verstehe wie irgendein anderes heute lebendes Tier. Und das ist es, worüber ich zu euch sprechen möchte.
Nun, Kameraden, was ist der Sinn dieses unseres Lebens? Wir wollen das einmal ehrlich ins Auge fas-

sen: unser Leben ist elend, arbeitsreich und kurz. Wir werden geboren, wir bekommen genausoviel Futter, als es braucht, um den Atem in unseren Leibern lebendig zu halten, und wer von uns dazu geeignet ist, wird gezwungen, bis zum letzten Atom seiner Kraft zu schuften. Und im selben Augenblick, da es mit unserer Nützlichkeit aus ist, werden wir auf scheußlich grausame Art geschlachtet. Kein Tier in England weiß, wenn es einmal ein Jahr alt geworden ist, was Glück und Muße bedeuten. Kein Tier in England ist frei. Das Leben eines Tieres ist Elend und Sklaverei: das ist die simple Wahrheit. Gehört das aber einfach zur Ordnung der Natur? Kommt es daher, daß dieser unser Boden so arm ist, daß er jenen, die auf ihm leben, kein angemessenes Dasein gewähren könnte? Nein, Kameraden, nein und tausendmal nein! Der Boden Englands ist fruchtbar, sein Klima ist gut, es ist sehr wohl imstande, einer unvergleichlich größeren Zahl von Tieren Futter im Überfluß zu geben, als jetzt darauf wohnen. Diese einzige Farm hier würde ein Dutzend Pferde, zwanzig Kühe, Hunderte von Schafen ernähren – und alle in einem Wohlstand, in einer Würde, die heute beinahe unsere Vorstellungen übersteigen. Warum also fahren wir fort, auf so klägliche Art zu leben? Weil uns fast das gesamte Produkt unserer Arbeit von den Menschenwesen gestohlen wird. Darin, Kameraden, liegt die Antwort auf alle unsere Probleme. Sie erschöpft sich in dem einzigen Wort – Mensch. Der Mensch ist der einzige wirkliche Feind, den wir haben. Vertreibt den Menschen vom Schauplatz, und die Ursache von Hunger und Überarbeitung ist für immer behoben.

Der Mensch ist das einzige Geschöpf, das verzehrt, ohne zu produzieren. Er gibt keine Milch, er legt keine Eier, er ist zu schwach, um den Pflug zu ziehen, er kann nicht schnell genug laufen, um Hasen zu fangen. Und doch ist er der Herr über alle Tiere. Er zwingt sie zur Arbeit und gibt ihnen dafür jenes Mindestmaß, das sie vor dem Verhungern schützt, alles übrige aber behält er für sich. Unsere Arbeit pflügt den Boden, unser Dung macht ihn fruchtbar, und doch ist keiner unter uns, der mehr besäße als die nackte Haut. Ihr Kühe, die ich hier vor mir sehe, wie viele tausend Gallonen Milch habt ihr in diesem letzten Jahr geliefert? Und was ist mit jener Milch geschehen, die eure munteren Kälbchen hätte ernähren sollen? Jeder Tropfen ist durch die Kehlen unserer Feinde gerollt. Und ihr Hennen, wie viele Eier habt ihr im vergangenen Jahr gelegt und wie viele zu Küken ausgebrütet? Alle anderen sind auf den Markt gebracht worden, um Jones und seine Leute zu bereichern. Und du, Clover, wo sind die vier Fohlen, die du geboren hast, die die Stütze und Freude deiner alten Tage werden sollten? Jedes einzelne wurde verkauft, als es ein Jahr alt war, und keines von ihnen wirst du jemals wiedersehen. Was hast du zum Lohn für deine viermalige Niederkunft und für all deine Arbeit auf den Feldern jemals anderes erhalten als das bloße Fressen und den Stall? Und selbst dieses elende Leben, das wir führen, darf nicht sein natürliches Ende erreichen. Ich, für mein Teil, murre nicht, denn ich gehöre zu den wenigen Begünstigten. Ich bin zwölf Jahre alt und habe mehr als vierhundert Kinder gezeugt. Das ist das natürliche Leben des Schweins. Doch am Ende entgeht kein Tier dem grausamen Messer. Ihr jungen Mastschweine, die ich vor mir sehe, jedes von euch wird innerhalb eines Jahres sein Leben auf dem Block ausgehaucht haben. Dieses Grauen steht uns allen bevor – Kühen, Schweinen, Hühnern, Schafen, allen, allen. Selbst die Pferde und Hunde erwartet kein besseres Los. Dich, Boxer, wird Mr. Jones an dem Tage, da diese Riesenmuskeln ihre Kraft verloren haben, zum Schinder schicken, der dir den Hals abschneiden und dein Fleisch zum Fraß für die Jagdhunde kochen wird. Und den Hunden, wenn sie alt und zahnlos werden, bindet Jones einen Stein um den Hals und wirft sie in den nächsten Teich.

Ist es nicht kristallklar, Kameraden, daß alle Leiden dieses Lebens der Tyrannei der Menschenwesen entspringen? Entledigt euch nur des Menschen, und das Produkt eurer Arbeit ist euer Eigen. Über Nacht könnten wir reich und frei werden. Was müssen wir also tun? Nun, Tag und Nacht mit Leib und Seele daran arbeiten, das Menschengeschlecht zu besiegen! Das ist meine Botschaft an euch, Kameraden: Revolution! Ich weiß nicht, wann diese Revolution kommen wird, vielleicht in einer Woche oder in hundert Jahren, aber ich weiß, so gewiß, wie ich das Stroh hier unter meinen Füßen sehe, daß früher oder später die Gerechtigkeit siegt. Darauf richtet eure Augen, Kameraden, während eurer kurzen Lebensfrist. Und vor allem, gebt diese meine Botschaft jenen weiter, die nach euch kommen, damit die künftigen Geschlechter den Kampf weiterführen, bis der Sieg unser ist.

Und denkt daran, Kameraden, wir dürfen nie in unserem Entschlusse wanken. Keine Überredung darf euch von eurem Wege ablenken. Hört niemals darauf, wenn man euch sagt, Mensch und Tiere hätten ein gemeinsames Interesse, die Wohlfahrt des einen bedeute die Wohlfahrt des anderen. Das alles sind Lügen. Der Mensch dient keines Geschöpfs Interesse als dem seinen. Und unter uns Tieren soll vollkommene Eintracht, vollkommene Kameradschaft im Kampfe herrschen. Alle Menschen sind Feinde. Alle Tiere sind Kameraden.«

In diesem Augenblick gab es einen gewaltigen Lärm. Während Major sprach, waren vier fette Ratten aus ihren Löchern gekommen und lauschten, auf ihrem Hinterteil sitzend, seinen Worten. Plötzlich aber

hatten die Hunde sie erspäht, und nur mit einem geschwinden Husch konnten sie sich in ihre Löcher retten. Major hob, Ruhe gebietend, das Bein.
»Kameraden«, sagte er, »dies ist ein Punkt, der besprochen werden muß. Sind die wilden Geschöpfe, wie Ratten und Hasen, unsere Freunde oder unsere Feinde? Darüber wollen wir abstimmen. Ich stelle der Versammlung die Frage: Sind Ratten Kameraden?«
Es wurde sogleich abgestimmt, und mit überwältigender Mehrheit wurde beschlossen, die Ratten seien Kameraden. Nur vier Stimmen wurden dagegen abgegeben, die der drei Hunde und die der Katze, die allerdings, wie man nachher feststellte, sowohl für wie wider gestimmt hatte. Major fuhr fort:
»Ich habe nur noch wenig zu sagen. Ich wiederhole nur: denkt stets an eure Pflicht, dem Menschen und allem, was er tut, feindlich gesinnt zu bleiben. Wer auf zwei Beinen geht, ist ein Feind. Wer auf vier Beinen geht oder Flügel hat, ist ein Freund. Und denkt auch daran, daß wir im Kampfe gegen den Menschen niemals so weit kommen dürfen, ihm zu gleichen. Selbst wenn ihr ihn besiegt habt, dürft ihr seine Laster nicht übernehmen. Kein Tier darf je in einem Hause wohnen, oder in einem Bett schlafen, oder Kleider tragen, oder Alkohol trinken, oder Tabak rauchen, oder Geld anrühren, oder Geschäfte machen. Alle Gebräuche des Menschen sind von

Übel. Und, vor allem, kein Tier darf jemals seine eigene Art tyrannisieren. Schwach oder stark, klug oder einfältig, wir sind alle Brüder. Kein Tier darf je ein anderes Tier töten. Alle Tiere sind gleich.

Und jetzt, Kameraden, will ich euch von meinem Traum der letzten Nacht sprechen. Ich kann euch diesen Traum nicht beschreiben. Es war ein Traum von der Erde, wie sie einst sein wird, wenn der Mensch verschwunden ist. Doch es erinnerte mich an etwas, das ich längst vergessen hatte. Vor vielen Jahren, da ich noch ein kleines Ferkel war, pflegten meine Mutter und die anderen Säue ein altes Lied zu singen, von dem sie nur die Melodie und die ersten drei Worte kannten. In meiner Kinderzeit hatte ich die Melodie auch gekannt, aber sie war mir seit langem aus dem Gedächtnis entschwunden. In der vergangenen Nacht aber, in meinem Traum, kam sie mir wieder in die Erinnerung. Und mehr noch, auch die Worte des Liedes kehrten zurück – Worte, die, ich bin dessen gewiß, vor langen Zeiten von den Tieren gesungen wurden und seit Generationen dem Gedächtnis entschwunden sind. Ich will euch dieses Lied jetzt singen, Kameraden. Ich bin alt, und meine Stimme ist heiser, aber wenn ich euch die Melodie gelehrt habe, dann werdet ihr selbst sie besser singen: Das Lied heißt: ›Tiere von England‹.«

Old Major räusperte sich wieder und begann zu singen. Wie er selbst gesagt hatte – seine Stimme war heiser, aber er sang doch recht gut, und es war eine erregende Melodie, so etwa zwischen ›Clementine‹ und ›La Cucaracha‹. Und die Worte lauteten:

»Tiere von England, Tiere von Irland,
Tiere zu Lande, im Meer, in der Luft,
Horchet auf meine frohe Verheißung
Goldener Zukunft, die euer ruft.

Früh oder spät, es naht sich die Stunde,
Da der tyrannische Mensch besiegt
Und das grüne Gefilde Englands
Offen zu unseren Hufen liegt.

Ringe verschwinden aus unseren Nasen,
Keines wird mehr an die Deichsel geschnallt,
Sporen und Bügel mögen verrosten,
Nimmer die grausame Peitsche knallt.

Reichtümer, größer als Träume spiegeln,
Weizen und Roggen und Hafer und Heu,
Bohnen und Klee und Mangoldwurzeln,
Unser sind sie, sobald wir frei.

Lichter schimmern die fruchtbaren Felder,
Reiner sprudelt der Bach im Hag,
Süßer und sanfter wehen die Winde,
Bricht er heran, unser großer Tag.

Mögen wir selber ihn nicht mehr schauen,
Sei euch doch keine Arbeit zu viel,
Kühe und Pferde, Gänse und Enten,
Für unser aller erhabenes Ziel.

Tiere von England, Tiere von Irland,
Tiere zu Lande, im Meer, in der Luft,
Gebt sie weiter, die frohe Verheißung
Goldener Zukunft, die euer ruft.«

Der Gesang steigerte die Tiere in höchste Erregung. Kaum hatte Major geendet, so begannen die anderen schon allein zu singen. Selbst das Dümmste unter ihnen hatte die Melodie und ein paar von den Worten aufgeschnappt, und die klügeren, wie Schweine und Hunde, kannten es binnen weniger Minuten auswendig. Und dann, nach einigen Versuchen, erdröhnte, von der ganzen Farm in erschütternder Einstimmigkeit gesungen, ›Tiere von England‹. Die Kühe muhten es, die Hunde jaulten es, die Schafe blökten es, die Pferde wieherten es, die Enten schnatterten es. Sie waren so hingerissen von dem Lied, daß sie es gleich fünfmal hintereinander sangen und es auch weitergesungen hätten, wenn sie nicht unterbrochen worden wären.

Unglücklicherweise aber weckte der Lärm Mr. Jones. Er sprang aus dem Bett, überzeugt, daß ein Fuchs sich in den Hof eingeschlichen habe. Er griff nach seiner Flinte, die immer in einer Ecke des Schlafzimmers stand, und schoß eine Ladung Schrot Nummer sechs in das Dunkel hinaus. Die Kugeln gruben sich in die Mauern der Scheune, und die Versammlung fand ein plötzliches Ende. Ein jedes suchte hastig seinen Schlafplatz auf. Das Geflügel hockte auf seinen Stangen, die anderen Tiere legten sich ins Stroh, und im Nu war die ganze Farm eingeschlafen.

Zweites Kapitel

Drei Nächte später verschied Old Major sanft im Schlafe. Sein Leib wurde neben dem Obstgarten begraben.

Das geschah anfangs März. Während der nächsten drei Monate gab es viel geheime Geschäftigkeit. Majors Rede hatte in den intelligenteren unter den Tieren der Farm eine völlig neue Lebensauffassung geweckt. Sie wußten nicht, wann die von Major vorausgesagte Revolution ausbrechen würde, hatten keinen Grund, anzunehmen, es könne noch zu ihrer Lebenszeit so weit kommen, aber sie erkannten klar, daß es ihre Pflicht war, sie vorzubereiten. Die Arbeit der Unterweisung und Organisation fiel natürlich den Schweinen zu, die ja allgemein als die klügsten Tiere anerkannt werden. Unter ihnen wiederum ragten zwei junge Eber hervor, Schneeball und

Napoleon, die Mr. Jones zum Verkauf aufzog. Napoleon war ein massiger, wildblickender Eber, das einzige Berkshireschwein auf der Farm, nicht gerade geschwätzig, aber bekannt dafür, daß er sich durchzusetzen vermochte. Schneeball war lebhafter als Napoleon, schnell fertig mit dem Wort und erfindungsreicher, aber sein Charakter wurde weniger hoch geschätzt. Alle anderen männlichen Schweine der Farm waren Mastschweine. Am bekanntesten unter ihnen war ein fettes kleines Schwein, Quiekschnauz genannt, mit runden Backen, zwinkernden Augen, flinken Bewegungen und einer schrillen Stimme. Er war ein glänzender Redner, und wenn er eine schwierige Frage erörterte, hatte er eine Art, von einer Seite zur anderen zu hüpfen und mit dem Schwanz zu wackeln, die etwas ungemein Überzeugendes hatte. Die anderen sagten von Quiekschnauz, er könnte Schwarz zu Weiß machen. Diese drei hatten Old Majors Lehre zu einem Denksystem ausgearbeitet, dem sie den Namen Animalismus gaben. Mehrere Nächte in der Woche, wenn Mr. Jones bereits schlief, hielten sie in der Scheune geheime Versammlungen ab und setzten den anderen die Prinzipien des Animalismus auseinander. Anfangs stießen sie auf viel Dummheit und Gleichgültigkeit. Einige der Tiere sprachen von einer Pflicht der Treue zu Mr. Jones, den sie als ›Herrn‹ bezeichneten, oder machten primitive Bemerkungen wie etwa

›Mr. Jones ernährt uns. Wenn er fort wäre, würden wir verhungern‹. Andere wiederum stellten Fragen wie: ›Was sollen wir uns darum scheren, was geschieht, wenn wir einmal tot sind?‹ oder ›Wenn es doch in jedem Fall zur Revolution kommt, was macht es für einen Unterschied aus, ob wir dafür arbeiten oder nicht?‹, und die Schweine hatten es sehr schwer, ihnen begreiflich zu machen, daß dies dem Geist des Animalismus zuwiderlief. Die dümmsten aller Fragen aber stellte Mollie, die weiße Stute. Zuerst fragte sie Schneeball: »Wird es nach der Revolution noch Zucker geben?«

»Nein«, sagte Schneeball fest. »Wir besitzen nicht die Mittel, um auf dieser Farm Zucker zu produzieren. Überdies brauchst du gar keinen Zucker. Du wirst so viel Hafer und Heu haben, wie du dir nur wünschen kannst.«

»Und werde ich Bänder in der Mähne tragen dürfen?« fragte Mollie.

»Kameradin«, sagte Schneeball, »diese Bänder, an denen du so hängst, sind das Merkmal der Knechtschaft. Kannst du denn nicht begreifen, daß Freiheit mehr wert ist als Bänder?«

Mollie gab das zu, aber es klang nicht sehr überzeugt.

Noch schwerer hatten es die Schweine, wenn sie die Lügen widerlegen mußten, die Moses, der zahme Rabe, verbreitete. Moses, Mr. Jones' besonderer

Liebling, war ein Spitzel und ein Klatschmaul, aber auch ein geschickter Redner. Er behauptete, er wisse von einem geheimnisvollen Land, Kandiszuckerberg genannt, wohin alle Tiere nach ihrem Tode eingingen. Es liege irgendwo himmelwärts, gleich hinter den Wolken, sagte Moses. In Kandiszuckerberg sei siebenmal in der Woche Sonntag, Klee blühe zu allen Jahreszeiten, und an den Hecken wachse Zucker und Leinsamenkuchen. Die Tiere haßten Moses, weil er ein Klatschmaul war und nicht arbeitete, aber einige unter ihnen glaubten doch an Kandiszuckerberg, und die Schweine hatten alle Mühe, um sie davon zu überzeugen, daß ein solches Land überhaupt nicht vorhanden sei.

Ihre treuesten Jünger waren die beiden Wagenpferde Boxer und Clover. Diese zwei hatten große Schwierigkeiten, wenn es galt, selbständig zu denken, doch da sie nun einmal die Schweine als Lehrer angenommen hatten, so schluckten sie alles, was man sie lehrte, und gaben es den anderen Tieren mit den simpelsten Argumenten weiter. Unermüdlich nahmen sie an den geheimen Versammlungen in der Scheune teil, und sie waren es, die beim Absingen von ›Tiere von England‹, womit jede Zusammenkunft endete, die führenden Stimmen sangen.

Wie nun die Dinge sich entwickelten, siegte die Revolution viel früher und viel müheloser, als irgend jemand erwartet hätte. In den vergangenen Jahren war Mr. Jones wohl ein harter Herr, aber immerhin ein tüchtiger Farmer gewesen, doch in der letzten Zeit waren schlimme Tage über ihn gekommen. Es entmutigte ihn, daß er bei einem Prozeß Geld verloren hatte, und da begann er denn, weit mehr zu trinken, als ihm guttat. Manchmal lungerte er ganze Tage müßig in seinem Lehnstuhl in der Küche, las die Zeitung, trank und fütterte hin und wieder Moses mit Brotkrusten, die er in Bier getaucht hatte. Seine Leute waren träge und unehrlich, die Felder standen voll Unkraut, die Gebäude bedurften des Dachdeckers, die Hecken waren vernachlässigt, und die Tiere bekamen nicht genug Futter.

Der Juni kam, und das Gras war schnittreif. Am Vorabend des Johannistages, einem Samstag, ging Mr. Jones nach Willingdon und betrank sich im ›Roten Löwen‹ derart, daß er erst Sonntag mittag heimkam. Die Leute hatten morgens die Kühe gemolken und waren dann auf die Kaninchenjagd gegangen, ohne sich darum zu kümmern, wer die Tiere füttern sollte. Als Mr. Jones nach Hause kam, legte er sich unverzüglich, die ›Weltnachrichten‹ vor dem Gesicht, auf das Sofa im Wohnzimmer, und als es Abend wurde, hatten die Tiere noch immer kein Futter erhalten. Endlich konnten sie das nicht länger ertragen. Eine der Kühe erbrach mit ihren Hörnern die Türe der Futterkammer, und die Tiere machten sich über die Behälter her. In diesem

Augenblick erwachte Mr. Jones. Im nächsten war er mit seinen vier Knechten bereits, Peitschen in den Händen, in der Futterkammer, und sie schlugen nach allen Seiten drauflos. Das aber war mehr, als die hungrigen Tiere ertragen konnten. Einmütig stürzten sie sich, obgleich nichts dergleichen geplant worden war, auf ihre Peiniger. Plötzlich wurden Jones und seine Knechte von allen Seiten geschlagen und gestoßen. Sie verloren völlig die Herrschaft über die Lage. Sie hatten noch nie gesehen, daß Tiere sich so benommen hätten, und dieser plötzliche Aufruhr von Geschöpfen, die sie, ganz nach ihren Launen, zu prügeln und zu quälen pflegten, brachte sie völlig um den Verstand. Nach wenigen Minuten gaben sie den Versuch einer Verteidigung auf und liefen davon. Eine weitere Minute später flüchteten sie, alle fünf, über den Karrenweg auf die Hauptstraße zu, und die Tiere verfolgten sie triumphierend.

Mrs. Jones blickte aus ihrem Schlafzimmerfenster, sah, was sich begab, packte rasch ein paar Habseligkeiten in einen Reisesack und schlüpfte auf einem anderen Wege aus der Farm. Moses sprang von seiner Stange und flatterte, laut krächzend, hinter ihr her. Unterdessen hatten die Tiere Jones und seine Leute bis zur Straße gejagt und schlugen die fünffach verriegelte Zauntür hinter ihnen zu. Und so war, fast bevor sie noch wußten, was sich ereignete, die Revolution gelungen: Jones war verjagt, und die ›Herrenfarm‹ gehörte ihnen.

Zunächst vermochten die Tiere kaum an ihr Glück zu glauben. Ihre erste Tat war, gemeinsam rund um die Grenzen der Farm zu galoppieren, als wollten sie sich davon überzeugen, daß kein menschliches Wesen mehr verborgen sei; dann aber eilten sie zu den Farmgebäuden zurück, um die letzten Spuren von Jones' verhaßter Herrschaft auszutilgen. Die Geschirrkammer am Ende der Ställe wurde aufgebrochen; die Gebisse, die Nasenringe, die Hundeketten, die grausamen Messer, mit denen Mr. Jones die Schweine und Lämmer zu kastrieren pflegte, das alles flog in den Brunnen. Die Zügel, die Halfter, die Scheuklappen, die entehrenden Futterbeutel wurden in das Feuer gezerrt, das im Hofe brannte. Den Peitschen geschah das gleiche. Alle Tiere hüpften vor Freude, als sie die Peitschen in Flammen aufgehn sahen. Schneeball warf auch die Bänder ins Feuer, mit denen Mähnen und Schwänze der Pferde an Markttagen gewöhnlich geputzt worden waren.

»Bänder«, sagte er, »sollten als Kleidungsstücke erklärt werden, die ein Merkmal des Menschen sind. Alle Tiere müssen nackt sein.«

Als Boxer das hörte, nahm er den kleinen Strohhut, den er im Sommer trug, um die Ohren vor Fliegen zu schützen, und warf ihn zu dem übrigen in die Flammen.

In kürzester Zeit hatten die Tiere alles und jedes zerstört, was sie an Mr. Jones erinnern konnte. Napoleon führte sie dann zurück zur Futterkammer und teilte jedem eine doppelte Ration zu; jeder Hund bekam zwei Stück Hundekuchen. Nun sangen sie schließlich noch siebenmal hintereinander ›Tiere von England‹, und dann legten sie sich zur Ruhe und schliefen, wie sie nie vorher geschlafen hatten. Doch bei Morgengrauen erwachten sie wie gewöhnlich, dann erinnerten sie sich plötzlich der ruhmreichen Begebenheiten und liefen, alle miteinander, hinaus auf die Weide. Ein kurzes Stückchen Weg hinter der Weide war eine kleine Erhöhung, von der man fast den ganzen Besitz überblicken konnte. Dorthin eilten die Tiere und schauten im klaren Morgenlicht rings um sich. Ja, es gehörte ihnen – alles, was sie erblicken konnten, war ihr eigen. In ihrer Begeisterung über diesen Gedanken tollten sie umher, wirbelten in großen Sprüngen durch die Luft. Sie rollten sich im Tau, sie rissen sich ein Maulvoll von dem süßen Sommergras aus dem Boden, sie scharrten Klumpen schwarzer Erde heraus und rochen ihren würzigen Duft. Dann machten sie sich auf, die ganze Farm zu inspizieren, und betrachteten mit sprachloser Bewunderung das Ackerland, die Wiese, den Obstgarten, den Teich, das Buschwerk. Es war, als hätten sie all diese Dinge noch nie zuvor gesehen, und selbst jetzt konnten sie kaum glauben, daß alles ihnen gehöre. Dann liefen sie geradewegs zu den Hofgebäuden zurück und blieben schweigend vor der Türe des Farmhauses stehn. Auch das gehörte ihnen, aber sie waren noch zu verschüchtert, um sich hineinzuwagen. Immerhin stießen Schneeball und Napoleon nach kurzem Zaudern die Türe mit ihren Schultern auf, und die Tiere traten, eines nach dem anderen, ein und gingen mit äußerster Behutsamkeit weiter, um nur ja nichts in Unordnung zu bringen. Sie stapften vorsichtig von Zimmer zu Zimmer, trauten sich kaum zu flüstern und besahen mit einer Art Ehrfurcht den unglaublichen Luxus, die Betten mit ihren Federmatratzen, die Spiegel, das roßhaargepolsterte Sofa, den Brüsseler Teppich, die Lithographie der Königin Victoria oberhalb des Kamins im Wohnzimmer. Sie kamen gerade die Stiege hinunter, als man entdeckte, daß Mollie fehlte. Man suchte und fand sie im schönsten Schlafzimmer. Sie hatte von Mrs. Jones' Toilettetisch ein Stück blaues Band genommen, hielt es an ihre Schulter und betrachtete sich auf höchst törichte Art im Spiegel. Die anderen machten ihr bittere Vorwürfe, und dann gingen sie alle wieder hinaus. Etliche Schinken, die in der Küche hingen, wurden mitgenommen und vergraben, und das Bierfaß in der Vorratskammer zerschmetterte ein Tritt von Boxers Huf. Sonst wurde nichts im Hause berührt. Auf der Stelle wurde einhellig der Beschluß gefaßt, daß das Farmhaus als

Museum erhalten bleiben solle. Alle waren der gleichen Ansicht, daß niemals ein Tier darin wohnen dürfe.

Die Tiere fraßen ihr Frühstück, und dann wurden sie von Schneeball und Napoleon wieder zusammengerufen.

»Kameraden«, sagte Schneeball, »es ist halb sieben, und wir haben einen langen Tag vor uns. Heute muß die Heuernte beginnen. Doch es gibt noch eine andere Sache, die wir vorher erledigen müssen.«

Die Schweine enthüllten jetzt, daß sie während der vergangenen drei Monate Lesen und Schreiben gelernt hatten, aus einer alten Fibel, die, einst Eigentum der Kinder Mr. Jones', auf den Misthaufen geworfen worden war. Napoleon ließ Töpfe mit schwarzer und weißer Farbe bringen und ging zu dem Tor voran, das auf die Hauptstraße führte. Dann nahm Schneeball – denn Schneeball konnte am besten schreiben – eine Bürste zwischen die Hufe, strich das Wort ›Herrenfarm‹ auf dem obersten Brett des Tores aus und malte an dessen Stelle ›Farm der Tiere‹. Von nun an sollte dies der Name der Farm sein. Dann gingen sie zu den Gebäuden zurück, Schneeball und Napoleon befahlen, eine Leiter zu holen, die an die Mauer der Scheune gestellt wurde. Sie erklärten, daß sie durch ihr Studium von drei Monaten dahin gelangt seien, die Grundsätze des Animalismus auf sieben Gebote zusammenzuziehen. Und diese sieben Gebote sollten nunmehr an diese Wand geschrieben werden; sie würden ein unabänderliches Gesetz bilden, nach dem alle Tiere auf der Tierfarm heute und immerdar zu leben hätten. Mit einiger Schwierigkeit – denn es ist für ein Schwein nicht leicht, sich auf einer Leiter im Gleichgewicht zu halten – stieg Schneeball hinauf und machte sich ans Werk, während Quiekschnauz, einige Sprossen tiefer, ihm den Farbtopf hielt. Die Gebote wurden mit weißen Buchstaben an die geteerte Wand geschrieben, die so groß waren, daß man sie auf dreißig Meter Entfernung lesen konnte. Das nahm sich so aus:

Die sieben Gebote

1. *Wer auch immer auf zwei Beinen geht, ist ein Feind.*
2. *Wer auch immer auf vier Beinen geht oder Flügel hat, ist ein Freund.*
3. *Kein Tier soll Kleider tragen.*
4. *Kein Tier soll in einem Bett schlafen.*
5. *Kein Tier soll Alkohol trinken.*
6. *Kein Tier soll ein anderes Tier töten.*
7. *Alle Tiere sind gleich.*

Das war sehr sauber geschrieben, und bis auf die Kleinigkeit, daß ›Freind‹ statt ›Freund‹ zu lesen war und die ›s‹ sich nach der verkehrten Seite wanden, war auch die Orthographie tadellos. Zum Nutzen der Allgemeinheit las Schneeball es laut vor. Alle Tiere nickten völlige Zustimmung, und die klügeren begannen schon, die Gebote auswendig zu lernen.

»Nun, Kameraden«, rief Schneeball und warf den Malerpinsel beiseite, »zur Wiese! Es soll eine Ehrensache für uns sein, daß wir die Ernte schneller einbringen, als Jones und seine Leute es tun könnten.«

Doch in diesem Augenblick fingen die drei Kühe, die sich schon seit einer Weile unbehaglich zu fühlen schienen, laut zu muhen an. Sie waren seit vierundzwanzig Stunden nicht mehr gemolken worden, und ihre Euter platzten fast. Nach kurzem Besinnen ließen die Schweine Eimer holen und melkten die Kühe mit recht gutem Erfolg, da ihre Vorderbeine sich als geeignet für diese Arbeit erwiesen. Bald hatten sich fünf Eimer mit schäumender, sahniger Milch gefüllt, die von vielen der Tiere mit erheblichem Interesse betrachtet wurde.

»Was soll mit all dieser Milch geschehen?« fragte eines.

»Jones mischte manchmal etwas davon in unser Futter«, sagte eine der Hennen.

»Was liegt an der Milch, Kameraden?« rief da Napoleon, der sich vor den Eimern aufgepflanzt hatte. »Das werden wir schon erledigen. Die Ernte ist wichtiger. Kamerad Schneeball wird euch führen. Ich folge in wenigen Minuten. Vorwärts, Kameraden! Das Heu wartet.«

So zogen die Tiere in Scharen zur Wiese hin, um mit der Ernte zu beginnen, und als sie abends zurückkamen, bemerkte man, daß die Milch verschwunden war.

Drittes Kapitel

Wie sie werkten und schwitzten, um das Heu einzubringen! Aber ihre Mühen wurden belohnt, denn die Ernte war weit erfolgreicher, als sie erhofft hatten. Manchmal war die Arbeit hart; die Geräte waren für menschliche Wesen geschaffen und nicht für Tiere, und es war ein großer Nachteil, daß kein Tier ein Werkzeug benützen konnte, dessen Bedienung erforderte, daß man auf zwei Beinen stand. Doch die Schweine waren so klug, daß sie aus jeder Schwierigkeit einen Ausweg fanden. Was die Pferde betraf, so kannten sie jeden Zoll der Wiese und verstanden das Geschäft des Mähens und Harkens weit besser, als Jones und seine Knechte es je getan hatten. Die Schweine arbeiteten nicht selber, aber sie leiteten und überwachten die anderen. Bei ihren überlegenen Kenntnissen war es nur natürlich, daß ihnen die Führung zufiel. Boxer und Clover spannten sich selber vor die Mähmaschine und den Wender – Gebiß und Zügel waren in diesen Tagen natürlich überflüssig – und stapften einmal um das anderemal über das Feld, und hinter ihnen ging ein Schwein und rief

›Vorwärts, Kamerad!‹ oder ›Kehrt, Kamerad!‹, je nach der Sachlage. Und jedes Tier, bis zu dem niedrigsten hinunter, half mit, das Heu zu wenden und zu sammeln. Selbst Enten und Hühner schafften den ganzen Tag in der Sonne und trugen kleine Bündel Heu in ihren Schnäbeln herbei. Schließlich brauchten sie zur Ernte zwei Tage weniger, als Jones mit seinen Knechten gewöhnlich gebraucht hatte. Mehr noch, es war die größte Ernte, die man jemals auf der Farm erblickt hatte. Nichts war vergeudet worden, die Hennen und Enten mit ihren scharfen Augen hatten auch den letzten Halm eingesammelt. Und kein Tier auf der ganzen Farm hatte auch nur ein Maul voll gestohlen.

Den ganzen Sommer hindurch ging die Arbeit auf der Farm wie nach der Uhr. Die Tiere waren so glücklich, wie sie das niemals für möglich gehalten hätten. Jedes bißchen Futter war eine wahre Lust, denn nun war es wirklich ihr eigenes Futter, von ihnen selbst und für sie selbst produziert, nicht aber spärlich zugemessen von einem mürrischen Herrn. Jetzt, da die wertlosen menschlichen Parasiten fort waren, gab es für jeden mehr zu fressen. Und trotz allem Mangel an Erfahrung gab es auch mehr Muße. Sie stießen wohl auf mancherlei Schwierigkeiten – als sie, zum Beispiel, im weiteren Verlauf des Jahres das Getreide ernteten, mußten sie nach alter Methode die Ähren treten und die Spreu wegpusten, denn die Farm besaß keine Dreschmaschine; aber die Schweine mit ihrem Verstand und Boxer mit seinen Riesenmuskeln zogen sie immer wieder aus der Patsche. Boxer wurde von jedem bewundert. Schon zu Jones' Zeiten hatte er hart gearbeitet, jetzt aber glich er mehr drei Pferden als einem. Es gab Tage, da die gesamte Arbeit der Farm auf seinen mächtigen Schultern zu lasten schien. Von morgens bis abends zog er und schob er, und immer dort, wo die Arbeit am härtesten war. Er hatte mit einem der Hähne ein Abkommen getroffen, der ihn morgens eine Stunde früher wecken mußte als die andern, und dann erledigte er freiwillig jene Arbeiten, die am dringendsten schienen, bevor das regelmäßige Tagewerk begann. Seine Antwort vor jedem Problem, vor jedem Hindernis war: »Ich werde noch härter arbeiten!« Und das hatte er sich zum Leitwort gemacht.

Doch jeder arbeitete nach seinen Fähigkeiten. Die Hühner und Enten zum Beispiel retteten fünf Büschel Korn, indem sie die Halme zusammentrugen. Keiner stahl, keiner murrte über seine Rationen. Streiten und Beißen und Eifersüchteleien, wie sie in den alten Tagen zum normalen Verlauf des Lebens gehört hatten, waren beinahe völlig verschwunden. Keines drückte sich – oder fast keines. Mollie allerdings stand morgens ungern auf und hatte ihre besondere Methode, die Arbeit früh zu verlassen, weil sie einen Stein im Huf spürte. Und auch das Verhalten der Katze war einigermaßen sonderbar. Bald merkte man, daß die Katze niemals zu finden war, wenn es galt, eine Arbeit zu übernehmen. Sie verschwand für endlose Stunden, tauchte dann zur Stunde der Mahlzeiten oder abends, wenn die Arbeit getan war, wieder auf, als ob nichts geschehen wäre. Aber sie wußte immer so ausgezeichnete Entschuldigungen vorzubringen und schnurrte so hingebungsvoll, daß man ihre guten Absichten unmöglich anzweifeln konnte. Old Benjamin, der Esel, hatte sich anscheinend durch die Revolution nicht von seiner früheren Haltung abbringen lassen. Er tat seine Arbeit auf die gleiche langsame, zähe Art wie zur Zeit von Jones, drückte sich nicht, machte aber auch keine Überstunden. Zu der Revolution und ihren Ergebnissen äußerte er sich nicht. Wenn man ihn fragte, ob er jetzt, da Jones fort war, nicht glücklicher sei, antwortete er nur: »Esel haben ein langes Leben. Keiner von euch hat je einen toten Esel gesehen«, und die anderen mußten sich mit dieser rätselvollen Antwort zufriedengeben.

An Sonntagen wurde nicht gearbeitet. Das Frühstück war eine Stunde später angesetzt, und nach dem Frühstück fand eine Zeremonie statt, die unverbrüchlich jede Woche abgehalten wurde. Zuerst wurde die Flagge gehißt. Schneeball hatte in der Geschirrkammer ein altes grünes Tischtuch von Mrs. Jones gefunden und malte mit weißer Farbe einen Huf und ein Horn darauf. Und diese Flagge wurde jeden Sonntag an dem Mast im Garten des Farmhauses aufgezogen. Die Flagge war grün, so erklärte es Schneeball, um an die grünen Felder Englands zu mahnen, während Huf und Horn die künftige Republik der Tiere bedeuteten, die eines Tages erstehn sollte, wenn das Menschengeschlecht endgültig besiegt wäre. Nach dem Hissen der Flagge strömten alle Tiere in die große Scheune zur Versammlung, die das ›Treffen‹ genannt wurde. Hier wurde die Arbeit für die kommende Woche geplant, Anträge wurden eingebracht und diskutiert. Es waren immer die Schweine, die die Anträge einbrachten. Die anderen Tiere verstanden, wie man abzustimmen hatte, kamen aber niemals selber auf irgendeinen Antrag. Während der Debatten waren Schneeball und Napoleon bei weitem die aktivsten. Doch man konnte bemerken, daß die beiden niemals einig waren: was auch der eine vorschlagen mochte – es war sicher, daß der andere ihm widersprach. Selbst als beschlossen wurde – ein Beschluß, gegen den keiner einen Einwand erheben konnte –, die kleine Koppel hinter dem Obstgarten als Ruheheim für arbeitsunfähige Tiere einzurichten, gab es eine stürmische Debatte über die Altersgrenze bei jeder Tiergruppe. Das Treffen schloß regelmäßig mit dem Absingen von ›Tiere von England‹, und der Nachmittag gehörte der Erholung.

Die Schweine hatten die Geschirrkammer zu ihrem Hauptquartier gemacht. Hier lernten sie abends nach Büchern, die sie aus dem Farmhaus geholt hatten, das Handwerk des Schmiedes, des Schreiners und andere notwendige Arbeiten. Schneeball beschäftigte sich auch damit, die anderen Tiere in sogenannten ›Tierausschüssen‹ zu organisieren. Dabei war er unermüdlich. Er schuf den ›Eierproduktionsausschuß‹ für das Geflügel, die ›Liga der sauberen Schwänze‹ für die Kühe, den ›Erziehungsausschuß für wilde Kameraden‹, dessen Ziel es war, Ratten und Kaninchen zu zähmen, die ›Bewegung für weißere Wolle‹ für die Schafe und verschiedene andere, und richtete überdies noch Klassen ein, in denen Schreiben und Lesen gelehrt wurde. Im ganzen schlugen diese Pläne fehl. Der Versuch, die wilden Tiere zu zähmen, brach, zum Beispiel, sogleich zusammen. Sie benahmen sich just wie vorher, und wenn man sie großmütig behandelte, machten sie sich das nur zunutze. Die Katze trat dem ›Erziehungsausschuß‹ bei und war darin einige Tage lang sehr eifrig tätig. Eines Tages sah man sie auf einem Dach sitzen und zu einigen Spatzen sprechen, die außerhalb ihrer Reichweite waren. Sie erzählte ihnen, daß alle Tiere jetzt Kameraden seien, und daß jeder Spatz, der Wert darauf legte, kommen und sich auf ihre Pfote setzen mochte; aber die Spatzen hielten sich in sicherer Entfernung.

Dagegen war den Elementarklassen ein großer Erfolg beschieden. Im Herbst besaß fast jedes Tier auf der Farm eine gewisse Schulbildung.
So konnten die Schweine, zum Beispiel, schon perfekt lesen und schreiben. Die Hunde lernten recht gut lesen, zeigten aber keinerlei Interesse daran, etwas anderes zu lesen als die Sieben Gebote. Muriel, die Ziege, las eher besser als die Hunde und pflegte manchmal abends den anderen von Zeitungsfetzen vorzulesen, die sie auf dem Misthaufen fand. Benjamin konnte ebenso gut lesen wie irgendein Schwein, aber er übte dieses sein Können nicht aus. So viel er wisse, erklärte er, sei nichts lesenswert. Clover lernte das ganze Alphabet, vermochte aber keine Worte zusammenzustellen. Boxer kam nicht über den Buchstaben d hinaus. Er malte a, b, c, d mit seinem großen Huf in den Staub, dann beguckte er, mit zurückgelegten Ohren, die Buchstaben, schüttelte manchmal seine Stirnlocke, versuchte mit aller Kraft, sich daran zu erinnern, was nach dem d kam, aber es gelang ihm nie. Mehrmals hatte er wohl auch die Buchstaben e, f, g, h erlernt, doch sobald er sie kannte, stellte sich heraus, daß er die Buchstaben a, b, c, d vergessen hatte. Endlich beschloß er, sich mit den ersten vier Buchstaben zufriedenzugeben, und schrieb sie gewöhnlich ein- oder zweimal täglich, um sein Gedächtnis aufzufrischen. Mollie weigerte sich, mehr zu lernen als die sechs Buchstaben, aus denen

ihr Name sich zusammensetzte. Sie stellte sie sehr sauber und sorgsam aus kleinen Ästen zusammen, schmückte sie dann mit ein oder zwei Blumen und trabte voller Bewunderung rund herum.

Keines der anderen Tiere auf der Farm kam über den Buchstaben a hinaus. Es zeigte sich auch, daß die einfältigeren Tiere, wie Schafe, Hühner und Enten, unfähig waren, die Sieben Gebote auswendig zu lernen. Nach vielem Nachdenken erklärte Schneeball, die Sieben Gebote ließen sich tatsächlich in einen einzigen Grundsatz zusammenfassen, der lautete: »Vierbeiner gut, Zweibeiner schlecht.« Das, sagte er, enthalte das wesentliche Prinzip des Animalismus. Wer es völlig begriffen habe, sei vor menschlichen Einflüssen gesichert. Die Vögel erhoben zuerst Einwände, denn sie meinten, sie hätten doch auch nur zwei Beine, aber Schneeball bewies ihnen, daß dem nicht so sei.

»Ein Vogelflügel, Kameraden«, sagte er, »ist ein Organ der Fortbewegung, nicht aber der Handhabung. Er sollte darum als Bein angesehen werden. Das unterscheidende Merkmal des Menschen ist die Hand, jenes Instrument, mit dem er alles Böse tut.«

Die Vögel verstanden Schneeballs lange Rede nicht, aber sie ließen seine Erklärung gelten, und all die niedrigeren Tiere machten sich daran, den neuen Grundsatz auswendig zu lernen. *Vierbeiner gut, Zweibeiner schlecht* wurde oberhalb der Sieben Gebote und mit noch größeren Buchstaben an die

Scheunenwand geschrieben. Als die Schafe diesen Grundsatz endlich auswendig gelernt hatten, wurde er ihnen sehr teuer, und oft, wenn sie auf der Wiese lagen, begannen sie sämtlich zu blöken: »Vierbeiner gut, Zweibeiner schlecht! Vierbeiner gut, Zweibeiner schlecht«, und so blökten sie stundenlang, ohne jemals müde zu werden.

Napoleon zeigte kein Interesse an Schneeballs Ausschüssen. Er sagte, die Erziehung der Jugend sei wichtiger als alles, was man für jene tun könne, die bereits ausgewachsen seien. Es begab sich, daß Jessie und Glockenblume nach der Heuernte geworfen und miteinander neun stämmigen Welpen das Leben geschenkt hatten. Sobald sie entwöhnt waren, nahm Napoleon sie ihren Müttern weg. Er werde die Verantwortung für ihre Erziehung übernehmen, sagte er. Er brachte sie in einem Bodenraum unter, der nur von der Geschirrkammer mittels einer Leiter zu erreichen war, und dort hielt er sie derart abgeschlossen, daß die übrigen Tiere der Farm sie bald vergessen hatten.

Das Geheimnis, wohin die Milch verschwand, klärte sich bald auf. Sie wurde täglich in das Futter der Schweine gemischt. Die Frühäpfel reiften jetzt, und das Gras war mit Fallobst bedeckt. Die Tiere hatten es für selbstverständlich gehalten, daß das Fallobst zu gleichen Teilen unter ihnen aufgeteilt würde; eines Tages aber erging der Befehl, alles Fallobst sei zur Verfügung der Schweine in die Geschirrkammer zu bringen. Da murrten wohl die anderen Tiere, aber es war nutzlos. Alle Schweine waren in diesem Punkt einer Meinung, selbst Schneeball und Napoleon. Quiekschnauz wurde entsandt, um den anderen die nötigen Erklärungen abzugeben.

»Kameraden!« rief er. »Ihr glaubt doch hoffentlich nicht, daß wir Schweine dies aus Selbstsucht tun oder um uns zu bevorzugen? Viele unter uns können Milch und Äpfel gar nicht leiden. Ich selbst mache mir nicht das geringste daraus. Wenn wir diese Dinge nehmen, so geschieht es einzig und allein, um unsere Gesundheit zu schützen. Milch und Äpfel – das ist wissenschaftlich bewiesen, Kameraden – enthalten Substanzen, die für das Wohlbefinden eines Schweines unerläßlich notwendig sind. Wir Schweine sind Kopfarbeiter. Die ganze Führung und Organisation der Farm hängt von uns ab! Tag und Nacht wachen wir über eure Wohlfahrt. Um euretwillen geschieht es, wenn wir diese Milch trinken und diese Äpfel essen. Wißt ihr auch, was geschehen würde, wenn wir Schweine in unserer Pflicht wanken würden? Jones käme zurück! Ja, Jones würde zurückkommen! Und bestimmt, Kameraden«, rief Quiekschnauz fast flehend, hüpfte von links nach rechts und wackelte mit dem Schwanz, »bestimmt ist keiner unter euch, der wünschen würde, Jones zurückkommen zu sehen!«

Wenn es nun etwas gab, dessen die Tiere vollkommen sicher waren, so dies: sie wollten Jones nicht zurückkommen sehen. Da man ihnen die Sache in diesem Lichte dargestellt hatte, wußten sie weiter nichts zu erwidern. Die Wichtigkeit, die Schweine bei guter Gesundheit zu erhalten, war allzu offenbar. Und so wurde ohne weitere Debatte beschlossen, daß die Milch und das Fallobst – und später auch die reifen Äpfel – den Schweinen allein vorbehalten bleiben sollten.

Viertes Kapitel

Im Spätsommer hatten sich die Nachrichten von dem, was auf der Farm der Tiere geschehen war, über das halbe Land verbreitet. Täglich sandten Schneeball und Napoleon Scharen von Tauben aus, die sich laut Auftrag unter die Tiere der Nachbarfarmen mischen, ihnen die Geschichte der Revolution erzählen und sie die Melodie von ›Tiere von England‹ lehren sollten.

Den größten Teil seiner Zeit verbrachte Mr. Jones in der Schankstube des ›Roten Löwen‹ in Willingdon und klagte jedem, der es hören wollte, was für ein ungeheuerliches Unrecht ihm dadurch widerfahren sei, daß ein Pack nichtsnutziger Tiere ihn von seiner Farm vertrieben habe. Die anderen Farmer nahmen wohl grundsätzlich seine Partei, leisteten ihm aber zunächst nur geringen Beistand. Im Herzen fragte sich jeder einzelne von ihnen insgeheim, ob er Jones' Mißgeschick nicht irgendwie zu seinem eigenen Nutzen wenden könnte. Es traf sich glücklich, daß die Besitzer der beiden an die Farm der Tiere anstoßenden Farmen dauernd in schlechten Beziehungen zueinander standen. Eine von ihnen, ›Fuchswald‹ genannt, war eine große, vernachlässigte, altmodische Farm, von Buschwerk überwuchert, die Wiesen erschöpft, die Hecken in kläglichem Zustand. Ihr Besitzer, Mr. Pilkington, war ein leichtlebiger Junker, der seine Zeit, je nach der Saison, zumeist auf der Jagd oder beim Fischfang verbrachte. Die andere Farm, die ›Klemmhof‹ hieß, war kleiner und besser gehalten. Ihr Eigentümer war ein gewisser Mr. Frederick, ein zäher, verschlagener Mann, der ständig in Prozesse verwickelt war und den Ruf hatte, in Geschäften sehr schwierig zu sein. Diese zwei waren einander so spinnefeind, daß es sie schwer ankam, zu einer Verständigung zu gelangen, auch wenn es sich darum handelte, ihre eigenen Interessen zu verteidigen.

Nichtsdestoweniger war die Revolution auf der Farm der Tiere ihnen beiden in die Glieder gefahren, und sie waren ängstlich darauf bedacht, zu verhüten, daß ihre eigenen Tiere allzu viel davon hören könnten. Zunächst taten sie, als würden sie über den

Gedanken, daß Tiere eine Farm selbständig führen sollten, nur verächtlich lachen. In vierzehn Tagen würde der ganze Spuk vorüber sein. Sie verbreiteten das Gerücht, daß die Tiere auf der ›Herrenfarm‹ – denn sie beharrten darauf, sie die ›Herrenfarm‹ zu nennen, den Namen ›Farm der Tiere‹ duldeten sie nicht – in beständigem Hader untereinander lebten und bald verhungern würden. Als die Zeit verstrich und die Tiere offenbar nicht verhungert waren, da änderten Frederick und Pilkington die Tonart und begannen von der greulichen Verderbtheit zu reden, die jetzt auf der Farm der Tiere herrsche. Es wurde herumerzählt, daß die Tiere dort Kannibalismus trieben, einander mit rotglühenden Hufeisen marterten und ihre Weibchen Gemeingut seien. Das komme davon, wenn man sich gegen die Naturgesetze erhebe, sagten Frederick und Pilkington.

Doch diese Geschichten fanden niemals vollen Glauben. Gerüchte von einer Wunderfarm, wo die Menschen verjagt worden seien und die Tiere ihre Geschäfte selber erledigten, kreisten nach wie vor in unbestimmter und entstellter Form, und das ganze Jahr hindurch ergoß sich eine Welle von Widerspenstigkeit über das Land. Bullen, die immer fügsam gewesen waren, wurden plötzlich wild, Schafe zertrampelten die Hecken und fraßen den Klee, Kühe stießen die Eimer um, Jagdpferde verweigerten vor den Zäunen und warfen ihre Reiter hinüber. Vor allem aber, die Melodie und sogar die Worte von ›Tiere von England‹ waren überall bekannt. Sie hatten sich mit erstaunlicher Schnelligkeit verbreitet. Die Menschenwesen konnten ihre Wut nicht verhalten, wenn sie das Lied hörten, obgleich sie taten, als fänden sie es einfach lächerlich. Sie verstünden nicht, sagten sie, wie sogar Tiere es über sich bringen könnten, ein so erbärmliches Zeug zu singen. Jedes Tier, das beim Singen ertappt wurde, erhielt sogleich eine Tracht Prügel. Und dennoch ließ das Lied sich nicht unterdrücken. Die Amseln pfiffen es in den Hecken, die Tauben gurrten es auf den Ulmen, es drang in das Dröhnen der Schmiede und in das Geläute der Kirchenglocken. Und wenn die Menschenwesen es hörten, dann zitterten sie insgeheim, denn es war ihnen, als lauschten sie der Voraussage ihres nahenden Untergangs.

Anfangs Oktober, als das Getreide geschnitten und teilweise auch schon gedroschen war, kam eine Schar Tauben herangewirbelt und versetzte den Hof der Farm der Tiere in wildeste Erregung. Jones und alle seine Leute, dazu noch ein Dutzend anderer von Fuchswald und Klemmhof hätten das fünffach verriegelte Tor erbrochen und kämen jetzt den Karrenweg herauf, der zur Farm führte. Sie trügen alle Stöcke, bis auf Jones, der mit der Flinte in der Hand voranmarschierte. Offenbar wollten sie die Wiedereroberung der Farm versuchen.

Das hatte man seit langem erwartet, und alle Vorbereitungen waren getroffen worden. Schneeball, der im Farmhaus ein altes Buch über die Feldzüge Julius Caesars gefunden und studiert hatte, war mit der Leitung der Verteidigung betraut. Er gab rasch seine Befehle, und nach wenigen Minuten war jedes Tier auf seinem Posten.

Als die Menschenwesen sich den Farmgebäuden näherten, gab Schneeball das Zeichen zum ersten Angriff. Alle Tauben, fünfundvierzig an der Zahl, flatterten über den Köpfen der Männer und ließen ihren Mist auf sie fallen; und während die Männer mit ihnen zu schaffen hatten, stürzten sich die Gänse, die hinter einer Hecke versteckt waren, hervor und hackten tückisch nach ihren Beinen. Doch dies war nur ein leichtes Ablenkungsmanöver, darauf angelegt, ein wenig Unordnung zu schaffen, und die Männer konnten die Gänse mit ihren Stöcken leicht vertreiben. Jetzt trat die zweite Angriffslinie in Aktion. Muriel, Benjamin und alle Schafe stürmten, unter Schneeballs Führung, vorwärts, stachen und stießen von allen Seiten auf die Männer los, während Benjamin sich umdrehte und mit seinen kleinen Hufen zuschlug. Doch abermals waren die Männer mit ihren Stöcken und den genagelten Schuhen zu stark für sie; und plötzlich, auf ein Quieken Schneeballs, das das Zeichen zum Rückzug war, wandten sich die Tiere und flohen durch das Tor in den Hof.

Die Männer ließen ein Triumphgeschrei erschallen. Wie sie es sich vorgestellt hatten, sahen sie ihre Feinde fliehen und liefen in Unordnung hinter ihnen her. Das aber war es, was Schneeball beabsichtigt hatte. Kaum waren die Männer innerhalb des Hofes, so brachen die drei Pferde, die drei Kühe und die übrigen Schweine, die im Kuhstall im Hinterhalt gelegen waren, plötzlich hinter ihnen hervor und schnitten ihnen den Rückzug ab. Schneeball gab das Zeichen zum Angriff. Er selbst stürzte sich auf Jones. Jones sah ihn kommen, hob die Flinte und gab Feuer. Die Schrotkörner rissen blutige Spuren in Schneeballs Rücken, und ein Schaf sank tot zusammen. Ohne auch nur einen Augenblick lang zu zaudern, warf Schneeball sich mit dem ganzen Gewicht seiner zweihundertzwanzig Pfund gegen Jones' Beine. Jones purzelte in einen Düngerhaufen, und das Gewehr flog ihm aus der Hand. Doch das erschreckendste Schauspiel bot Boxer, der sich auf die Hinterbeine aufgerichtet hatte und mit seinen mächtigen, eisenbeschlagenen Hufen wie ein Zucht-Hengst um sich schlug. Schon sein erster Tritt traf einen Stallknecht vom Fuchswald am Schädel und streckte ihn leblos in den Schlamm. Bei diesem Anblick ließen mehrere Männer die Stöcke fallen und versuchten davonzulaufen. Ein panischer Schrecken hatte sie gepackt, und in der nächsten Sekunde waren bereits alle Tiere hinter ihnen her und jagten sie rund um den Hof. Sie wurden getreten, gestoßen, gebissen, zertrampelt. Nicht ein Tier gab es auf der Farm, das nicht auf seine Art Rache an ihnen genommen hätte. Selbst die Katze sprang plötzlich von einem Dach auf die Schulter eines Kuhhirten und bohrte ihre Klauen in seinen Hals, daß er gellend aufschrie. Als das Tor zufällig einen Augenblick lang unbewacht blieb, waren die Männer ganz glücklich, daß sie aus dem Hof hinaus und im Nu auf die Landstraße fliehen konnten. Und so waren sie fünf Minuten nach ihrem Eindringen auf schmählichem Rückzug über den gleichen Weg, den sie gekommen waren, und eine Schar Gänse schnatterte hinter ihnen her und hackte beständig nach ihren Beinen.

Alle Männer waren jetzt fort bis auf einen. Dort im Hof tastete Boxer mit seinem Huf nach dem Stallburschen, der mit dem Gesicht im Schlamm lag, und versuchte, ihn umzudrehen Der Bursche regte sich nicht.

»Er ist tot«, sagte Boxer bekümmert. »Das war nicht meine Absicht. Ich hatte vergessen, daß ich Hufeisen trage. Wer wird mir glauben, daß ich es nicht absichtlich getan habe?!«

»Nur keine Sentimentalität, Kamerad!« rief Schneeball, aus dessen Wunde immer noch Blut tropfte. »Krieg ist Krieg. Nur der tote Mensch ist ein guter Mensch.«

»Ich mag niemandem das Leben nehmen, nicht einmal einem Menschen«, wiederholte Boxer, und seine Augen füllten sich mit Tränen.

»Wo ist Mollie?« rief jemand.

Mollie war tatsächlich nicht da. Zunächst gab es großen Alarm, man fürchtete, die Menschen könnten ihr etwas Böses zugefügt oder sie gar mitgeschleppt haben. Schließlich aber wurde sie im Stall versteckt gefunden, den Kopf in der heugefüllten Krippe vergraben. Sobald das Gewehr geknallt hatte, war sie geflohen. Und als die anderen sich über ihr Schicksal beruhigt hatten und in den Hof zurückkehrten, da entdeckten sie, daß der Stallbursche, der nur betäubt gewesen war, sich offenbar erholt und aus dem Staub gemacht hatte.

Jetzt sammelten sich die Tiere in wildester Erregung, und mit äußerstem Stimmaufwand erzählte ein jedes seine Taten in der Schlacht. Sogleich wurde eine improvisierte Siegesfeier abgehalten. Die Flagge stieg hoch, und man sang zu wiederholten Malen ›Tiere von England‹. Dann wurde dem gefallenen Schaf ein feierliches Begräbnis bereitet und ein Weißdornbusch auf sein Grab gepflanzt. Am Grabe hielt Schneeball eine kleine Ansprache und betonte, daß es die Pflicht aller Tiere sei, mit Freuden für die Farm der Tiere zu sterben, wenn es not tat.

Einstimmig beschlossen die Tiere, eine militärische Auszeichnung zu schaffen, ›Tierheld erster Klasse‹, die an Ort und Stelle Schneeball und Boxer verliehen wurde. Sie bestand aus einem Messingring – solche alte Messingringe hatten sich in der Geschirrkammer gefunden – und war an Sonn- und Feiertagen zu tragen. Es gab auch ›Tierheld zweiter Klasse‹, eine Auszeichnung, die dem toten Schafe verliehen wurde.

Lange wurde darüber diskutiert, wie man die Schlacht nennen sollte. Endlich nannte man sie die ›Schlacht vom Kuhstall‹, denn der Kuhstall war der Hinterhalt gewesen, von dem her der Kampf entschieden worden war. Mr. Jones' Gewehr war im Schlamm gefunden worden, und es wurde auch bekannt, daß im Farmhaus noch ein Vorrat an Patronen vorhanden war. Man beschloß, das Gewehr am Fuße des Flaggenmastes aufzustellen wie eine Kanone, und es zweimal im Jahre abzufeuern – einmal am 12. Oktober, dem Jahrestag der Schlacht vom Kuhstall, und einmal am Johannistag, dem Gedenktag der Revolution.

Fünftes Kapitel

Je weiter der Winter vorrückte, desto schwieriger wurde Mollie. Morgen für Morgen kam sie zu spät zur Arbeit und entschuldigte sich, sie habe verschlafen. Auch klagte sie über geheimnisvolle Schmerzen, obgleich ihr Appetit ausgezeichnet war. Unter jedem

Vorwand lief sie von der Arbeit weg, zumeist zur Tränke; dort blieb sie dann ganz albern stehn und betrachtete ihr Spiegelbild im Wasser. Doch man erzählte sich auch ernsthaftere Dinge von ihr. Eines Tages, als Mollie munter durch den Hof tänzelte, den langen Schweif hin und her schwang und an einem Heubündel kaute, nahm Clover sie beiseite.

»Mollie«, begann sie, »ich habe dir etwas sehr Ernstes zu sagen. Heute früh sah ich dich, wie du über die Hecke gespäht hast, die die Farm der Tiere vom Fuchswald trennt. Einer von Mr. Pilkingtons Leuten stand auf der anderen Seite der Hecke. Und – ich war wohl in einiger Entfernung, aber ich glaube bestimmt, daß ich ihn richtig gesehen habe – er sprach zu dir, und du hast ihm sogar erlaubt, dir die Nase zu streicheln. Was soll das bedeuten, Mollie?«

»Das hat er nicht getan! Ich war nicht dort! Es ist nicht wahr!« rief Mollie, bäumte sich und scharrte heftig.

»Mollie! Sieh mir ins Gesicht! Gibst du mir dein Ehrenwort darauf, daß der Mann dir nicht die Nase gestreichelt hat?«

»Es ist nicht wahr!« wiederholte Mollie, doch sie konnte Clover nicht ins Gesicht sehen, und im nächsten Augenblick wandte sie sich um und galoppierte querfeldein.

Ein Gedanke durchzuckte Clover. Ohne den andern ein Wort zu sagen, ging sie in Mollies Stall und durchsuchte mit ihrem Huf das Stroh. Und da lagen, wohl verborgen, ein kleines Häufchen Zucker und etliche Bänder in verschiedenen Farben.

Drei Tage später verschwand Mollie. Wochenlang wußte man nichts von ihrem Verbleib, dann aber berichteten die Tauben, sie hätten sie unweit von Willingdon gesehen. Sie war zwischen die Deichseln eines eleganten, rot und schwarz gestrichenen, zweirädrigen Wagens eingespannt, der vor einem Wirtshaus stand. Ein dicker Mann mit rotem Gesicht in karierten Hosen und Gamaschen, der wie ein Schenkwirt aussah, streichelte ihr die Nase und gab ihr Zucker. Sie war frisch geschoren und trug um ihre Stirnlocke ein scharlachfarbenes Band. Und sie schien sich bei all dem sehr wohl zu fühlen, sagten die Tauben. Keines der Tiere erwähnte jemals wieder Mollies Namen.

Im Januar wurde das Wetter bitter kalt. Die Erde war wie Eisen, und man konnte nicht auf den Feldern arbeiten. Es wurden zahlreiche Versammlungen in der großen Scheune abgehalten, und die Schweine beschäftigten sich damit, den Arbeitsplan für die kommende Saison auszuarbeiten. Man hatte es schließlich gelten lassen, daß die Schweine, die offenbar klüger waren als die anderen Tiere, alle Fragen der Farmpolitik zu entscheiden hatten, wenn auch ihre Entscheidungen durch einen Mehrheitsbeschluß gutgeheißen werden mußten. Diese Einrichtung hätte sich recht wohl bewährt, wenn nicht die ewigen Streitereien zwischen Schneeball und Napoleon gewesen wären. Die beiden waren über jeden Punkt uneinig, wo es überhaupt möglich war, uneinig zu sein. Wenn einer von den beiden eine größere Fläche zum Anbau von Gerste vorschlug, dann verlangte der andere bestimmt eine größere Fläche zum Anbau von Hafer, und wenn einer erklärte, dieses oder jenes Feld eigne sich zum Anbau von Kohl, dann behauptete der andere, es sei ausschließlich für Rüben zu brauchen. Jeder von den zweien hatte seine Anhänger, und es gab heftige Debatten. Bei den Versammlungen gewann Schneeball durch seine glänzenden Reden oft die Mehrheit für sich, aber Napoleon verstand es besser, sich in der Zwischenzeit Anhänger zu schaffen. Besonderen Erfolg hatte er bei den Schafen. In letzter Zeit hatten die Schafe sich daran gewöhnt, ob es paßte oder nicht, zu blöken: »Vierbeiner gut, Zweibeiner schlecht«, und oft unterbrachen sie eine Versammlung mit diesem Geblök. Man bemerkte, daß sie zumal bei entscheidenden Stellen von Schneeballs Reden ihr »Vierbeiner gut, Zweibeiner schlecht« anstimmten. Schneeball hatte etliche Nummern von ›Farmer und Viehzüchter‹, die sich im Farmhaus fanden, eingehend studiert und war voller Pläne von Neuerungen und Verbesserungen. Er sprach gelehrt über das Entwässern der Felder, über Silos und Düngemittel, hatte überdies einen sehr komplizierten Plan ausgearbeitet, demzufolge alle Tiere ihren Dünger den Feldern unmittelbar und jeden Tag an einer anderen Stelle zuführen sollten, um die Mühe des Transportes zu sparen. Napoleon legte keine eigenen Pläne vor, aber er erklärte in aller Ruhe, Schneeballs Pläne würden zu nichts führen, und schien zu warten, bis seine Zeit gekommen wäre. Doch von all ihren Debatten war keine so erbittert wie der Streit um den Windmotor.

Auf dem langen Wiesenstreifen, unweit der Farmgebäude, gab es eine kleine Erhebung, die der höchste Punkt der ganzen Farm war. Nach genauer Prüfung des Bodens erklärte Schneeball, dies sei die geeignetste Stelle für ein Windrad, das einen Dynamo betreiben könnte, der die Farm mit elektrischer Kraft versorgen würde. So könnte man die Ställe beleuchten und im Winter heizen, ferner eine Kreissäge, einen Häckselschneider und eine elektrische Melkmaschine betreiben. Die Tiere hatten von dergleichen niemals gehört, denn die Farm war sehr altmodisch und besaß nur die primitivsten Maschinen, und so lauschten sie voll Staunen, während Schneeball die Bilder phantastischer Apparate heraufbeschwor, die für sie arbeiten würden, indessen sie selbst nach Herzenslust weiden oder auch ihre geistigen Fähigkeiten durch Lesen und Gespräch weiterbilden könnten.

Binnen weniger Wochen waren Schneeballs Pläne für den Windmotor bis aufs letzte ausgearbeitet. Die mechanischen Einzelheiten stammten zumeist aus drei Büchern, die Mr. Jones gehört hatten: ›Tausend nützliche Handgriffe im Haushalt‹, ›Jedermann sein eigener Maurer‹ und ›Elektrizität für Anfänger‹. Als Studierzimmer benützte Schneeball eine Kammer, die früher als Brutofen benützt worden war und einen glatten Holzboden hatte, auf dem man gut zeichnen konnte. Dort schloß er sich manchmal stundenlang ein. Die Bücher hielt ein Stein offen, ein Stück Kreide klemmte er zwischen die Hufe, lief eifrig hin und her, zog eine Linie nach der anderen und stieß ein leises, erregtes Grunzen aus. Nach und nach gediehen die Pläne zu einem komplizierten Durcheinander von Bögen und Zahnrädern, das mehr als die Hälfte des Bodens bedeckte und das die anderen Tiere absolut unverständlich, aber sehr eindrucksvoll fanden. Eines Tages kamen schließlich alle, um Schneeballs Zeichnungen zu besichtigen. Sogar die Hühner und Enten kamen und hatten alle Mühe, nicht auf die Kreidestriche zu treten. Nur Napoleon hielt sich fern. Er hatte sich von Anfang an gegen den Windmotor ausgesprochen. Immerhin kam auch er eines Tages unerwartet und prüfte die Pläne. Mit schweren Schritten umkreiste er die Zeichnung, betrachtete eingehend jede Einzelheit der Pläne, beschnüffelte sie ein- oder zweimal, blieb eine Weile davor stehn und musterte sie aus einem Augenwinkel; dann aber hob er plötzlich das Bein, schlug sein Wasser über die Pläne ab und verzog sich, ohne ein Wort zu äußern.

Der Windmotor war der Grund einer tiefen Spaltung auf der ganzen Farm. Schneeball leugnete nicht, daß der Bau sehr schwierig sein werde. Steine mußten gebrochen und zu Mauern gefügt werden, dann waren Segel anzufertigen, und schließlich brauchte man Dynamo und Draht. Wie dies letztere beschafft werden sollte, sagte Schneeball nicht. Doch er hielt daran fest, daß alles im Lauf eines Jahres erledigt sein könnte. Und nachher, erklärte er, würde man so viel Arbeit ersparen, daß die Tiere nur drei Tage in der Woche arbeiten müßten. Napoleon dagegen behauptete, das dringendste Gebot der Stunde sei die Steigerung der Futterproduktion, und wenn sie ihre Zeit an den Windmotor vergeudeten, würden sie alle Hungers sterben. Die Tiere schieden sich in zwei Parteien unter den Schlagworten »Stimmt für Schneeball und die Dreitagewoche« und »Stimmt für Napoleon und die volle Krippe«. Benjamin war das einzige Tier, das sich keiner der beiden Parteien anschloß. Er weigerte sich zu glauben, daß es mehr Futter geben, aber auch, daß der Windmotor Arbeit ersparen werde. Windmotor oder nicht, sagte er, das Leben würde immer so bleiben, wie es gewesen war – das heißt, schlecht.

Abgesehen von dem Streit über den Windmotor, gab es noch die Frage der Verteidigung der Farm. Man war sich völlig klar darüber, daß die Menschen, wenn sie auch in der Schlacht vom Kuhstall geschlagen worden waren, sehr wohl einen zweiten und entschlosseneren Versuch unternehmen konnten, die Farm zurückzuerobern und Mr. Jones wieder in seine früheren Rechte einzusetzen. Dazu hatten sie um so mehr Veranlassung, als die Nachricht von ihrer Niederlage sich auf dem Lande verbreitet hatte und die Tiere auf den Nachbarfarmen widerspenstiger machte als je. Wie gewöhnlich waren Schneeball und Napoleon sich nicht einig. Nach Napoleons Anschauung mußten die Tiere Feuerwaffen anschaffen und sich in deren Gebrauch üben. Nach Schneeballs Anschauung mußten sie in immer wachsender Zahl Tauben aussenden und unter den Tieren der anderen Farmen den Geist der Revolution schüren. Der eine erklärte, wenn sie nicht imstande wären, sich zu verteidigen, würden sie unbedingt unterworfen werden; der andere erklärte, wenn die Revolution überall siegte, dann wäre keine Notwendigkeit mehr vorhanden, sich verteidigen zu müssen. Die Tiere lauschten erst Napoleon, dann Schneeball und konnten sich nicht darüber klarwerden, wer recht hatte; tatsächlich waren sie immer der Meinung jenes, der gerade das Wort hatte.

Endlich war der Tag gekommen, da Schneeballs

Pläne vollendet waren. Bei der Versammlung am kommenden Sonntag sollte über die Frage abgestimmt werden, ob der Windmotor zu bauen sei oder nicht. Als die Tiere in der großen Scheune versammelt waren, erhob sich Schneeball und setzte, wenn auch zeitweilig vom Blöken der Schafe unterbrochen, die Gründe auseinander, die für den Bau des Windmotors sprachen. Dann erhob sich Napoleon, um zu antworten. Er sagte sehr ruhig, der Windmotor sei ein Unsinn, und er rate niemandem, dafür zu stimmen. Und dann ließ er sich wieder nieder. Er hatte kaum dreißig Sekunden gesprochen, und die Wirkung seiner Worte schien ihm beinahe gleichgültig zu sein. Darauf sprang Schneeball auf, brüllte die Schafe nieder, die wieder mit ihrem Blöken begonnen hatten, und hielt eine leidenschaftliche Rede zugunsten des Windmotors. Bis jetzt waren die Sympathien der Tiere geteilt gewesen, doch jetzt riß Schneeballs Beredsamkeit sie fort. In glühenden Worten malte er ein Bild der Farm der Tiere und ihrer Zukunft, wenn den Tieren die schmutzige Arbeit einmal abgenommen sein werde. Seine Vorstellungskraft ging weit über Häckselschneider und Kreissäge hinaus. Elektrizität, sagte er, konnte Dreschmaschinen betreiben, Pflüge, Eggen, Walzen, Mähmaschinen und Garbenbinder, überdies wäre jeder Stall mit elektrischem Licht, mit heißem und kaltem Wasser und einer elektrischen Heizanlage versorgt. Als er fertig war, konnte über das Ergebnis der Abstimmung nicht der leiseste Zweifel bestehn, doch just in diesem Moment erhob sich Napoleon, warf einen eigentümlichen Blick auf Schneeball und stieß ein hohes Quieken aus, wie es noch niemand von ihm gehört hatte.

Daraufhin erhob sich draußen ein wütendes Bellen, und neun riesige Hunde mit messingbeschlagenen Halsbändern stürzten in die Scheune. Sie stürmten geradeaus auf Schneeball zu, der eben noch aufspringen konnte, um ihren aufgerissenen Mäulern zu entgehen. Im nächsten Augenblick war er zum Tore hinaus, und die Hunde hinter ihm her. Zu verblüfft und entsetzt, um zu sprechen, drängten die andern Tiere sich vor das Tor, um die Jagd mit anzusehen. Schneeball lief den langen Weidestreifen hinunter, der zur Straße führte. Er rannte, wie nur ein Schwein rennen kann, aber die Hunde waren ihm hart auf den Fersen. Plötzlich glitt er aus, und schon schienen sie ihn erwischt zu haben. Doch da war er wieder hochgekommen, lief schneller als je. Dann waren wieder die Hunde rascher als er. Schon hatten die Kiefer des einen Schneeballs Ringelschwanz gepackt, aber er konnte sich mit knapper Not befreien. Und nun legte er ein mörderisches Tempo vor, schlüpfte mit wenigen Zoll Vorsprung durch ein Loch in der Hecke und ward nicht mehr gesehen.

Schweigend und entsetzt sammelten die Tiere sich wieder in der Scheune. Auch die Hunde kamen herangesprungen. Zunächst hatte keiner eine Ahnung, woher diese Tiere eigentlich stammten, doch das Problem löste sich schnell: es waren die Welpen, die Napoleon ihren Müttern weggenommen und heimlich aufgezogen hatte. Waren sie auch noch nicht ganz ausgewachsen, so waren sie doch schon mächtige Tiere und schauten so wild drein wie Wölfe. Sie hielten sich in nächster Nähe Napoleons. Und es entging den andern nicht, daß sie vor ihm genau auf die gleiche Art mit den Schwänzen wedelten, wie es die Hunde vor Mr. Jones getan hatten.

Napoleon, hinter ihm die Hunde, stieg jetzt auf die Estrade, von der einst Major zu den Tieren gesprochen hatte. Er erklärte, daß es von nun ab mit den Sonntagsversammlungen vorüber sei. Sie seien überflüssig, sagte er, und lediglich Zeitvergeudung. In Zukunft würden alle Fragen, die sich auf die Farmarbeit bezögen, von einem besonderen Schweineausschuß erledigt werden, dessen Vorsitz er übernehmen wolle. Dieser Ausschuß würde ohne weitere Öffentlichkeit zusammentreten und seine Entschließungen nachher den andern bekanntgeben. Die Tiere sollten sich nach wie vor Sonntag morgens versammeln, die Flagge grüßen, ›Tiere von England‹ singen und ihre Befehle für die kommende Woche erhalten; aber Debatten würde es nicht mehr geben.

Trotz dem Entsetzen, das Schneeballs Vertreibung erregt hatte, waren die Tiere über diese Ankündigung doch sehr betroffen. Einige unter ihnen hätten Protest erhoben, wenn sie die richtigen Begründungen gefunden hätten. Sogar Boxer war ziemlich beunruhigt. Er legte die Ohren zurück, schüttelte mehrmals die Stirnlocke und versuchte, seine Gedanken zu ordnen, aber schließlich fiel ihm nichts ein, was er sagen sollte. Unter den Schweinen selbst gab es einige, die deutlicher wurden. Vier junge Mastschweine in der vordersten Reihe stießen ein schrilles, mißbilligendes Quieken aus, sprangen auf und begannen, alle vier gleichzeitig, zu reden. Aber plötzlich ließen die Hunde, die sich um Napoleon geschart hatten, ein tiefes, drohendes Knurren hören, die Schweine verstummten und setzten sich wieder nieder. Dann stimmten die Schafe ein gewaltiges Blöken »Vierbeiner gut, Zweibeiner schlecht« an, das fast eine Viertelstunde dauerte und jeder Möglichkeit einer Diskussion ein Ende machte.

Nachher wurde Quiekschnauz herumgeschickt, um den Tieren der Farm die Neuerung zu erklären.

»Kameraden«, sagte er, »ich vertraue darauf, daß ein jedes Tier das Opfer zu würdigen weiß, das Kamerad Napoleon bringt, indem er diese Mehrarbeit auf sich nimmt. Glaubt nicht, Kameraden, daß Führerschaft ein Vergnügen sei! Im Gegenteil, es bedeutet eine tiefe, schwere Verantwortung. Keiner glaubt fester als Kamerad Napoleon daran, daß alle Tiere gleich sind. Er wäre nur zu froh, euch eure Entscheidungen selbst treffen zu lassen. Doch manchmal würdet ihr eine unrichtige Entscheidung treffen, und wo wären wir dann? Wenn ihr, zum Beispiel, beschlossen hättet, Schneeball und seinen Hirngespinsten von einem Windmotor zu folgen? Schneeball, der, wie wir heute wissen, nichts anderes war als ein Verbrecher!«

»In der Schlacht vom Kuhstall hat er tapfer gekämpft«, sagte einer.

»Tapferkeit ist nicht genug«, erklärte Quiekschnauz. »Treue und Gehorsam sind wichtiger. Und was die Schlacht vom Kuhstall betrifft, so dürfte die Zeit kommen, da wir finden werden, daß Schneeballs Anteil reichlich übertrieben worden ist. Disziplin, Kameraden, eiserne Disziplin! Das ist für heute das Losungswort. Ein falscher Schritt, und unsere Feinde würden über uns herfallen. Nein, Kameraden, ihr wollt doch gewiß nicht, daß Jones wiederkehrt?«

Abermals gab es auf dieses Argument keine Antwort. Nein, Jones' Rückkehr wollten die Tiere gewiß nicht; wenn die Debatten des Sonntagmorgens geeignet waren, Jones zurückzubringen, dann mußten diese Debatten eben aufhören. Boxer, der unterdessen Zeit gehabt hatte, die Dinge zu überdenken, gab dem allgemeinen Gefühl Ausdruck, als er erklärte: »Wenn Kamerad Napoleon es sagt, dann muß es richtig sein.« Und so nahm er den Grundsatz an: »Napoleon hat immer recht.« Das ergänzte seine private Devise: »Ich will noch härter arbeiten.«

Unterdessen hatte das Wetter gewechselt, und die Frühjahrsarbeit begann. Die Kammer, in der Schneeball seine Pläne des Windmotors gezeichnet hatte, war abgesperrt worden, und man nahm an, daß die Pläne fortgewischt worden seien. Jeden Sonntagmorgen versammelten sich um zehn Uhr die Tiere in der großen Scheune, um die Weisungen für die kommende Woche zu empfangen. Der Schädel Old Majors war, von Fleisch entblößt, ausgegraben und auf einem Stumpf am Fuß des Flaggenmastes aufgestellt worden, neben dem Gewehr. Nach dem Hissen der Flagge hatten die Tiere ehrfürchtig an dem Schädel vorüberzuziehen, bevor sie die Scheune betraten. Jetzt saßen sie auch nicht mehr alle beieinander, wie sie es in der Vergangenheit getan hatten. Napoleon, mit Quiekschnauz und einem andern Schwein, namens Minimus, der eine bemerkenswerte Gabe besaß, Lieder und Gedichte zu verfassen, saßen auf der Estrade, im Halbkreis um sie herum die neun jungen Hunde, und dahinter die übrigen Schweine. Die andern Tiere saßen ihnen gegenüber. Napoleon las die Weisungen für die kommende Woche in barschem, militärischem Tone, dann wurde ›Tiere von England‹ ein einziges Mal gesungen, und nachher zerstreuten die Tiere sich.

Am dritten Sonntag nach der Verjagung Schneeballs waren die Tiere einigermaßen überrascht, von Napoleon zu hören, daß der Windmotor nun doch gebaut werden solle. Er gab keinen Grund für diese Sinnesänderung an, sagte den Tieren nur warnend voraus, daß dieses Werk sehr viel und schwere Mehrarbeit erfordern werde. Es könnte sich sogar als nötig erweisen, die Rationen herabzusetzen. Aber die Pläne seien bis in die letzte Einzelheit ausgearbeitet. Ein Sonderkomitee von Schweinen habe sich in den vergangenen drei Wochen damit beschäftigt. Der Bau des Turmes für den Windmotor sowie verschiedene andere Verbesserungen würden vermutlich zwei Jahre in Anspruch nehmen.

Am selben Abend erklärte Quiekschnauz im Vertrauen, daß Napoleon in Wahrheit niemals gegen den Windmotor gewesen sei. Im Gegenteil, er sei es gewesen, der von Anfang an dafür gesprochen habe, und der Plan, den Schneeball auf den Boden der Brutkammer gezeichnet hatte, sei aus Napoleons Papieren gestohlen gewesen. In Tat und Wahrheit sei der Windmotor überhaupt Napoleons eigene Schöpfung. Warum, fragte da einer, habe er dann so heftig dagegen gesprochen? Quiekschnauz sah verschmitzt drein. Das, sagte er, sei ein Kunstgriff Kamerad Napoleons gewesen. Er habe getan, als wäre er gegen den Windmotor, aber das sei nur ein Manöver gewesen, um sich Schneeballs zu entledigen, dessen Sinnesart gefährlich und dessen Einfluß schlecht gewesen sei. Nun, da Schneeball aus dem Weg geschafft sei, könne der Plan ohne seine Einmischung ausgeführt werden. Das, sagte Quiekschnauz, sei etwas, was man Taktik nenne. Er wiederholte mehrmals: »Taktik, Kameraden, Taktik!«, hüpfte von einem Fuß auf den andern und wackelte fröhlich mit dem Schwanz. Die Tiere wußten nicht genau, was das Wort bedeutete, aber Quiekschnauz sprach so überzeugend, und die drei Hunde, die zufällig hinter ihm saßen, knurrten so bedrohlich, daß seine Erklärungen ohne weitere Fragen angenommen wurden.

Sechstes Kapitel

Dieses ganze Jahr hindurch arbeiteten die Tiere wie Sklaven. Doch sie waren bei ihrer Arbeit glücklich; sie scheuten weder Opfer noch Mühe, denn sie waren sich wohl bewußt, daß alles, was sie taten, zu ihrem eigenen Besten war und zu dem jener, die nach ihnen kamen, nicht aber zum Besten eines Packs nichtsnutziger, diebischer Menschenwesen.

Während des Frühjahrs und des Sommers arbeiteten sie Sechzig-Stunden-Wochen, und im August verkündete Napoleon, daß auch Sonntag nachmittags gearbeitet werden solle. Diese Arbeit war unbedingt freiwillig, aber wer ihr fernblieb, sah seine Rationen auf die Hälfte herabgesetzt. Dennoch erwies es sich als notwendig, manche Arbeiten unerledigt zu lassen. Die Ernte war um einiges weniger erfolgreich gewesen als im Vorjahr, und zwei Felder, auf denen im Frühsommer Rüben angebaut werden sollten, mußten unbestellt bleiben, weil das Pflügen nicht rechtzeitig beendet war.

Es ließ sich voraussehen, daß der kommende Winter hart werden würde.

Der Turm für den Windmotor zeitigte unerwartete Schwierigkeiten. Es gab einen guten Kalksteinbruch auf der Farm, und in einem Nebengebäude hatte sich reichlich Sand und Zement gefunden, so daß alle Baumaterialien vorhanden waren. Doch das Problem, das die Tiere zunächst nicht lösen konnten, war, wie man den Stein in Stücke von passender Größe brechen sollte. Es hatte den Anschein, als ließe sich das nur mit Hacken und Brecheisen bewerkstelligen, die kein Tier verwenden konnte, da kein Tier imstande war, sich auf den Hinterbeinen zu halten. Erst nach Wochen nutzloser Mühe kam eines auf den richtigen Gedanken – nämlich, die Schwerkraft zu verwenden. Mächtige Blöcke, viel zu groß, um in ihrer jetzigen Form verwendbar zu sein, lagen überall auf dem Grunde des Steinbruchs umher. Um diese Blöcke schlangen die Tiere Seile, und dann schleppten alle miteinander, Kühe, Pferde, Schafe, jedes Tier, das nur zupacken konnte – und in kritischen Augenblicken gesellten sogar die Schweine sich dazu – sie mit verzweifelter Langsamkeit den Abhang hinauf bis zur Höhe des Steinbruchs, rollten sie über den Rand, so daß die Blöcke in die Tiefe stürzten und unten in Stücke zerschellten. Die auf diese Art zerbrochenen Steine zu transportieren, war verhältnismäßig leicht. Die Pferde zogen sie auf Karren, einzelne Blöcke zogen die Schafe, und selbst Muriel und Benjamin spannten sich vor einen alten Wagen und taten das ihre. Im Spätsommer hatte man einen hinreichenden Vorrat an Steinen angehäuft, und nun begann, unter der Aufsicht der Schweine, der Bau.

Doch das war ein langsamer, mühevoller Prozeß. Häufig bedurfte es eines ganzen Tages erschöpfender Arbeit, um auch nur einen einzigen Block bis zur Höhe des Steinbruchs zu schleppen, und manchmal, wenn man ihn dann über den Rand rollte, zerbrach er nicht. Man hätte nichts zustande gebracht ohne Boxer, dessen Kraft die Kräfte aller andern Tiere zusammen aufzuwiegen schien. Wenn der Block zu gleiten begann und die Tiere verzweifelt aufschrien, weil sie den Hügel abwärts geschleift wurden, da war es jedesmal Boxer, der sich in das Seil stemmte und den Block zum Stillstand brachte. Ihn an dem Abhang Zoll für Zoll werken zu sehen, der Atem beschleunigt, die Spitzen der Hufe an den Boden geklammert, die mächtigen Flanken von Schweiß bedeckt, erfüllte einen jeden mit Bewunderung. Manchmal warnte ihn Clover; er möge vorsichtig sein, sich nicht überanstrengen, doch Boxer wollte nichts davon hören. Seine beiden Devisen: »Ich will noch härter arbeiten« und »Kamerad Napoleon hat immer recht«, schienen ihm eine zureichende Antwort auf alle Probleme zu sein. Er hatte sich mit dem Hahn verständigt, der ihn nun morgens dreiviertel Stunden früher wecken mußte, statt wie bisher nur eine halbe Stunde. Und in seiner Mußezeit, die jetzt sehr knapp bemessen war, ging er allein nach dem Steinbruch, belud einen Karren mit Steinen und zog ihn, ohne jede Hilfe, zu der Stelle, wo der Windmotor stehn sollte.

Trotz der harten Arbeit ging es den Tieren in diesem Sommer nicht schlecht. Wenn sie auch nicht mehr Futter hatten als zu Jones' Zeiten, so hatten sie doch auch nicht weniger. Der Vorteil, daß sie nur für sich allein zu sorgen hatten, nicht aber auch für fünf verschwenderische Menschenwesen, war so groß, daß es schon einer ganzen Menge von Fehlschlägen bedurft hätte, um ihn zunichte zu machen. Und in vieler Hinsicht war die Methode der Tiere wirksamer und sparte Arbeit. Das Jäten, zum Beispiel, konnte mit einer Gründlichkeit getan werden, die für Menschenwesen unmöglich war. Und da jetzt kein Tier etwas stahl, war es überflüssig, Weide und bebautes Land voneinander zu sondern, und damit ersparte man eine Menge Arbeit, die sonst an die Erhaltung von Hecken und Zäunen gewandt werden mußte. Nichtsdestoweniger machten sich im Laufe des Sommers manche Mängel geltend. Man brauchte Paraffinöl, Nägel, Schnüre, Hundekuchen und Eisen für die Pferdehufe, lauter Dinge, die nicht auf der Farm produziert werden konnten. Später würde man auch Saatgut und künstlichen Dünger brauchen, überdies verschiedene Werkzeuge und endlich die Maschinerie für den Windmotor. Wie man all das beschaffen sollte, davon konnte keiner sich eine Vorstellung machen.

Eines Sonntagmorgens, als die Tiere versammelt waren, um ihre Weisungen zu empfangen, verkündete Napoleon, daß er nunmehr eine neue Politik einzuschlagen beschlossen habe. Von jetzt an würde die Farm der Tiere Handelsbeziehungen mit den Nachbarfarmen anknüpfen, natürlich nicht zu geschäftlichen Zwecken, sondern ganz einfach um gewisse Materialien zu beschaffen, die dringend gebraucht wurden. Die Erfordernisse des Windmotors müßten allem andern vorgehen, sagte er. Darum unterhandle er wegen des Verkaufs einer Heuladung und eines Teils der diesjährigen Weizenernte, und später, wenn man Geld brauchen werde, müsse es durch den Verkauf von Eiern beschafft werden, für die in Willingdon stets ein guter Markt sei. Die Hennen, sagte Napoleon, sollten dieses Opfer als ih-

ren besondern Beitrag zum Bau des Windmotors gutheißen.
Abermals wurden die Tiere sich eines leisen Unbehagens bewußt. Niemals mit Menschenwesen zu tun zu haben, niemals Handel zu treiben, niemals Geld zu benützen – waren das nicht einige der Beschlüsse jener ersten glorreichen Versammlung, nachdem Jones verjagt worden war? Alle Tiere erinnerten sich an diese Beschlüsse; oder sie glaubten sich wenigstens daran zu erinnern. Die vier jungen Schweine, die protestiert hatten, als Napoleon die Versammlungen abschaffte, erhoben schüchtern die Stimmen, doch sie wurden sogleich durch ein bösartiges Knurren der Hunde zum Schweigen gebracht. Dann begannen wie gewöhnlich die Schafe ihr »Vierbeiner gut, Zweibeiner schlecht« zu blöken, und der heikle Augenblick ging glatt vorüber. Schließlich hob Napoleon das Bein, gebot Stille und verkündete, daß er bereits alle Vorkehrungen getroffen habe. Die Tiere würden es durchaus nicht nötig haben, mit den Menschenwesen in Berührung zu kommen, was tatsächlich höchst unerwünscht sei. Er beabsichtige, die ganze Last auf seine eigenen Schultern zu nehmen. Ein gewisser Mr. Whymper, Rechtsanwalt in Willingdon, habe eingewilligt, als Vermittler zwischen der Farm der Tiere und der Außenwelt zu amten, und würde jeden Montagmorgen auf die Farm kommen, um seine Weisungen zu empfangen. Napoleon

endete seine Rede mit dem üblichen Ruf »Lang lebe die Farm der Tiere!« und nach Absingen von ›Tiere von England‹ waren die Tiere entlassen.

Nachher machte Quiekschnauz eine Runde durch die Farm und beruhigte die Gemüter. Er versicherte ihnen, ein Antrag gegen den Handel oder gegen die Verwendung von Geld sei niemals zum Beschluß erhoben oder auch nur eingebracht worden. Das alles sei reine Einbildung und von allem Anfang an den Lügen zuzuschreiben, die Schneeball verbreitet habe. Einige wenige Tiere hegten noch immer leise Zweifel, aber Quiekschnauz fragte sie listig: »Seid ihr auch sicher, Kameraden, daß ihr das nicht geträumt habt? Habt ihr irgendeinen Beweis für solch einen Beschluß? Ist er irgendwo aufgeschrieben?« Und da es die reine Wahrheit war, daß nichts dergleichen schriftlich aufgezeichnet stand, gaben die Tiere sich damit zufrieden, daß sie sich geirrt haben müßten.

Jeden Montag kam Mr. Whymper, wie vereinbart, zu Besuch auf die Farm. Er war ein verschmitzt aussehender kleiner Mann mit einem Backenbart, ein Winkeladvokat, aber scharfsinnig genug, früher als die andern zu erfassen, daß die Farm der Tiere einen Vermittler brauchen werde, und daß seine Kommission die Mühe lohnen könnte. Die Tiere sahen sein Kommen und Gehn mit einer gewissen Angst und vermieden ihn so viel wie möglich. Nichtsdestoweniger – mitanzusehen, wie Napoleon auf allen vieren Whymper, der auf zwei Beinen stand, Weisungen erteilte, hob ihren Stolz und versöhnte sie teilweise mit der neuen Einrichtung. Ihre Beziehungen zu dem Menschengeschlecht waren nicht ganz dieselben wie vorher. Die Menschenwesen haßten die Farm der Tiere jetzt, da sie aufblühte, nicht weniger als vorher, im Gegenteil, sie haßten sie nur noch um so mehr. Jedes Menschenwesen hielt es für einen Glaubensartikel, daß die Farm früher oder später zugrunde gehn müsse, und daß vor allem der Windmotor ein Fehlschlag sei. Sie kamen in den Schenken zusammen und bewiesen einander mit Hilfe von Zeichnungen, daß der Turm einstürzen müsse oder, wenn er doch aufgestellt sein würde, das Windrad niemals funktionieren könnte. Und dennoch hatte sich in ihnen, gegen ihren Willen, eine gewisse Achtung vor der Tüchtigkeit entwickelt, mit der die Tiere ihre Angelegenheiten selber erledigten. Ein Symptom dafür war es, daß sie begonnen hatten, die Farm der Tiere bei ihrem Namen zu nennen, und nicht mehr so taten, als hieße sie noch immer ›Herrenfarm‹. Auch ihre Parteinahme für Jones hatten sie aufgegeben, der seinerseits auf jede Hoffnung, seine Farm wiederzubekommen, verzichtete und sich in einen andern Teil des Landes verzog. Außer durch Whymper gab es noch keine Beziehungen zwischen der Farm der Tiere und der Umwelt, aber es waren dauernd Gerüchte im Umlauf, denen zufolge Napoleon im Begriff stehe, eine endgültige Geschäftsverbindung mit Mr. Pilkington vom Fuchswald oder mit Mr. Frederick vom Klemmhof einzugehen, doch niemals – auch das wurde festgestellt – mit beiden gleichzeitig.

Ungefähr um diese Zeit geschah es, daß die Schweine plötzlich in das Farmhaus zogen und dort ihre Residenz aufschlugen. Abermals glaubten die Tiere sich zu erinnern, daß in den ersten Tagen ein Beschluß dagegen gefaßt worden sei, doch abermals war Quiekschnauz imstande, sie davon zu überzeugen, daß das nicht der Fall gewesen sei. Es sei unumgänglich nötig, sagte er, daß die Schweine, die sozusagen das Gehirn der Farm wären, einen ruhigen Arbeitsplatz hätten. Es entspreche auch der Würde des Führers – denn seit jüngster Zeit pflegte er von Napoleon als dem ›Führer‹ zu reden – besser, in einem Haus zu wohnen, als in einem Koben. Trotzdem waren einige der Tiere verwirrt, als sie hörten, daß die Schweine nicht bloß ihre Mahlzeiten in der Küche nähmen und das Wohnzimmer als Erholungsraum benützten, sondern auch in den Betten schliefen. Boxer nahm es mit seinem üblichen »Napoleon hat immer recht« zur Kenntnis, Clover dagegen, die sich an bestimmte Gesetze gegen Betten zu erinnern glaubte, ging in die Scheune und versuchte, sich in den Sieben Geboten zurechtzufinden, die dort angeschrieben standen. Doch da sie nicht fähig war, mehr als die einzelnen Buchstaben zu entziffern, holte sie Muriel.

»Muriel«, sagte sie, »lies mir einmal das Vierte Gebot vor. Steht da nicht irgend etwas davon, daß man niemals in einem Bett schlafen soll?«

Mit einiger Mühe buchstabierte Muriel.

»Es heißt: ›Kein Tier soll in einem Bett mit Leintüchern schlafen‹«, verkündete sie endlich.

Seltsam, seltsam. Clover hatte sich nicht daran erinnert, daß das Vierte Gebot Leintücher erwähnt hatte; da es aber auf der Wand geschrieben stand, mußte es doch so gewesen sein. Und Quiekschnauz, der gerade, von zwei oder drei Hunden begleitet, vorbeikam, war in der Lage, die ganze Sache ins richtige Licht zu setzen.

»Ihr habt also gehört, Kameraden«, sagte er, »daß wir Schweine jetzt in den Betten im Farmhaus schlafen? Und warum auch nicht? Ihr werdet doch gewiß nicht glauben, daß es jemals ein Gesetz gegen Betten gegeben hat? Ein Bett bedeutet lediglich einen Schlafplatz. Ein Haufe Stroh im Stall ist, richtig betrachtet, ein Bett. Das Gesetz wendet sich gegen Leintücher, die eine Erfindung des Menschen sind. Wir haben die Leintücher von den Betten im Farmhaus entfernt und schlafen zwischen Decken. Und es sind sehr bequeme Betten! Aber nicht bequemer, als es für uns nötig ist, das kann ich euch versichern, Kameraden, wenn man an all die geistige Arbeit denkt, die wir derzeit leisten müssen. Ihr wollt uns doch nicht unsere Ruhe rauben, Kameraden? Ihr wollt doch nicht, daß wir zu müde wären, um unsere Pflichten zu erfüllen? Gewiß will doch keiner von euch Jones wiederkehren sehen?«

Über diesen Punkt beruhigten die Tiere ihn sogleich, und so wurde kein Wort mehr davon gesprochen, daß die Schweine in den Betten des Farmhauses schliefen. Und als nach einigen Tagen verkündet wurde, daß von nun an die Schweine eine Stunde später aufstehn würden als die andern Tiere, gab es auch darüber kein Murren.

Im Herbst waren die Tiere wohl müde, aber glücklich. Sie hatten ein hartes Jahr hinter sich, und nach dem Verkauf eines Teils des Heus und der Getreideernte waren die Futtervorräte für den Winter nicht allzu reichlich, aber der Turm des Windmotors entschädigte sie für alles. Er war jetzt fast halbfertig. Nach der Ernte gab es eine Zeit trocknen, klaren Wetters, und die Tiere arbeiteten härter als je, denn sie fanden, daß es lohne, sich den ganzen Tag mit dem Schleppen der Steinblöcke abzuplacken, wenn sie dadurch die Mauer abermals um einen Fuß erhöhen konnten. Boxer arbeitete sogar nachts ein oder zwei Stunden im Schein des Vollmonds ganz allein. In ihren Mußestunden kreisten die Tiere um den halbvollendeten Bau, bewunderten die Stärke und Präzision der Mauern und staunten darüber, daß sie jemals imstande gewesen waren, etwas derart Eindrucksvolles zu bauen. Einzig der alte Benjamin wollte sich nicht für den Windmotor begeistern, obgleich er, wie gewöhnlich, nur die dunkle Bemerkung fallen ließ, daß Esel ein langes Leben hätten.

Der November begann mit wütenden Südwestwinden. Man mußte den Bau unterbrechen, denn es war jetzt so feucht, daß man den Zement nicht mischen konnte. Schließlich kam eine Nacht, da der Sturm so heftig tobte, daß die Farmgebäude in ihren Fundamenten erzitterten und zahlreiche Schindeln vom Dach der Scheune weggefegt wurden. Die Hühner wachten erschrocken auf, denn sie alle hatten geträumt, daß sie in der Ferne ein Gewehr losgehn gehört hätten. Morgens kamen die Tiere aus ihren Ställen und sahen, daß der Flaggenmast umgestürzt und eine Ulme vor dem Obstgarten ausgerissen worden war wie ein Rettich. Kaum hatten sie das festgestellt, als ein Schrei der Verzweiflung sich der Kehle eines jeden Tieres entrang. Ein furchtbarer Anblick bot sich ihren Augen. Der Turm des Windmotors lag in Trümmern. Alle miteinander stürzten an den Ort des Unheils. Napoleon, der sich sonst nur wenig Bewegung machte, raste allen voran. Ja, da lag sie, die Frucht all ihrer Mühe, dem Boden gleichgemacht, die Steine, die sie mit solcher Hingabe gebrochen und geschleppt hatten, waren überallhin verstreut. Unfähig, auch nur ein Wort hervorzubringen, standen sie da und blickten traurig auf das Durcheinander von zerschlagenen Steinen. Napoleon ging schweigend auf und ab und beschnüffelte hin und wieder den Boden. Er schwenkte den Ringelschwanz heftig hin und her, ein Zeichen intensiver geistiger Tätigkeit. Plötzlich blieb er stehn, als wäre er zu einem Resultat gelangt.

»Kameraden«, sagte er ruhig, »wißt ihr, wer für dieses Unheil verantwortlich ist? Kennt ihr den Feind, der sich bei Nacht eingeschlichen und unsere Mauer zerstört hat? Schneeball«, brüllte er plötzlich mit Donnerstimme, »Schneeball hat dies getan. Aus purer Bosheit, weil er damit die Ausführung unserer Pläne verzögern, weil er sich für seine schmähliche Vertreibung rächen wollte, hat er sich unter dem Schutz des Dunkels hierher gestohlen und hat das Werk von fast einem Jahr zerstört. Kameraden, jetzt und hier spreche ich das Todesurteil über Schneeball aus. Der Orden ›Tierheld zweiter Klasse‹ und fünfundzwanzig Pfund Äpfel jedem, der das Urteil vollstreckt. Fünfzig Pfund jedem, der ihn lebend fängt.«

Die Tiere waren über alle Maßen entrüstet zu vernehmen, daß Schneeball einer solchen Tat schuldig sei. Es gab einen Schrei der Empörung, und jeder begann darüber nachzusinnen, wie man seiner habhaft werden könnte, wenn er je zurückkäme. Unmittelbar darauf wurden im Gras, in geringer Entfernung von dem Hügel, die Fußspuren eines Schweins entdeckt. Sie konnten nur wenige Meter weit verfolgt werden, führten aber offenbar zu einem Loch in der Hecke. Napoleon beschnüffelte sie eingehend und erklärte, es seien Schneeballs Spuren. Seiner Meinung nach sei Schneeball wahrscheinlich von der Fuchswaldfarm gekommen.

»Kein weiterer Aufschub, Kameraden!« rief Napoleon, nachdem man die Spuren geprüft hatte. »Es gibt Arbeit. Noch heute beginnen wir von neuem, und wir werden den ganzen Winter hindurch arbeiten, ob Regen oder Sonnenschein. Wir werden diesen elenden Verräter lehren, daß er unser Werk nicht so leicht zerstören kann. Denkt daran, Kameraden, unsere Pläne dürfen nicht geändert werden, sie müssen auf den Tag ausgeführt sein. Vorwärts, Kameraden! Es lebe der Windmotor! Es lebe die Farm der Tiere!«

Siebentes Kapitel

Es war ein harter Winter. Dem stürmischen Wetter folgte Hagel und Schnee und dann ein heftiger Frost, der bis tief in den Februar dauerte. Die Tiere arbeiteten nach besten Kräften an dem Wiederaufbau des Turmes, denn sie wußten, daß die Umwelt sie beobachtete, und daß die neidischen Menschenwesen jubeln und triumphieren würden, wenn die Windkraftanlage nicht rechtzeitig fertig wäre.

In ihrer Bosheit behaupteten die Menschenwesen, nicht daran zu glauben, daß Schneeball es gewesen sei, der den Turm zerstört habe: sie sagten, er sei zusammengestürzt, weil die Mauern zu dünn gewesen wären. Die Tiere wußten, daß es sich anders verhielt. Dennoch wurde beschlossen, die Mauern diesmal drei Fuß dick zu bauen und nicht, wie vorher, nur achtzehn Zoll. Das bedeutete, daß noch weit größere Mengen von Steinen herangeschafft werden mußten. Lange Zeit lag der Steinbruch unter Schneetriften, und man konnte nicht arbeiten. Bei dem trockenen, kalten Wetter, das folgte, konnten manche Fortschritte erzielt werden, aber es war ein grausam hartes Werk, und die Tiere waren nicht mehr so hoffnungsvoll wie vorher. Sie froren ständig und waren gewöhnlich auch hungrig. Nur Boxer und Clover verloren den Mut nicht. Quiekschnauz hielt hervorragende Reden über die Freude des Dienens und die Würde der Arbeit, aber die anderen Tiere fanden mehr Ermutigung in Boxers Kraft und seinem niemals verzagenden Ruf: »Ich will noch härter arbeiten!«

Im Januar wurde das Futter knapp. Die Körnerration wurde drastisch herabgesetzt, und man kündigte an, daß zum Ausgleich eine Sonderration von Kartoffeln verteilt werden sollte. Dann aber entdeckte man, daß der größte Teil der Kartoffelernte in den Mieten erfroren war, weil sie nicht genügend zugedeckt worden waren. Die Kartoffeln waren weich und farblos geworden, und nur wenige blieben noch genießbar. Zeitweilig hatten die Tiere tagelang nichts anderes zu essen als Spreu und Rüben. Es war, als ständen sie der Hungersnot gegenüber.

Lebenswichtig war es, diese Tatsachen vor der Außenwelt zu verheimlichen. Durch den Einsturz des Turmes kühner gemacht, erfanden die Menschenwesen neue Lügen über die Farm der Tiere. Abermals wurde verbeitet, daß die Tiere an Hunger und Krankheiten zugrunde gingen, daß es ständig Kämpfe unter ihnen gebe und daß sie schon bei Kannibalismus und Kindermord angelangt seien. Napoleon war sich der bösen Folgen wohl bewußt, die sich ergeben mochten, wenn die Wahrheit über die Ernährung bekannt würde, und er beschloß, sich Mr. Whympers zu bedienen, um den gegenteiligen Eindruck zu erwecken. Bisher waren die Tiere mit Whymper bei dessen allwöchentlichen Besuchen kaum in Berührung gekommen: jetzt instruierte man einige ausgewählte Tiere, zumeist Schafe, daß sie, in Whympers Hörweite, gelegentlich eine Bemerkung darüber fallenlassen sollten, daß die Rationen erhöht worden seien. Überdies ließ Napoleon die beinahe leeren Futterbehälter fast bis an den Rand mit Sand füllen, und darüber tat man, was noch an Futter vorhanden war. Unter irgendeinem passenden Vorwand wurde Whymper durch den Vorratsraum geführt und durfte auch einen Blick in die Behälter tun. Er war enttäuscht und berichtete der Außenwelt, daß es auf der Farm der Tiere keine Futterknappheit gebe.

Trotzdem wurde es gegen Ende Januar offenbar, daß man von irgendwoher Futter beschaffen mußte. In diesen Tagen zeigte Napoleon sich nur selten in der Öffentlichkeit, sondern verbrachte all seine Zeit im Farmhaus, dessen Türen von den wildblickenden Hunden bewacht waren. Wenn er auftauchte, geschah es nur auf sehr zeremonielle Art mit einer Eskorte von sechs Hunden, die sich eng um ihn schlossen und knurrten, wenn jemand zu nahe kam. Häufig erschien er nicht einmal Sonntag morgens, sondern gab seine Weisungen durch eines der anderen Schweine, gewöhnlich durch Quiekschnauz.

Eines Sonntag morgens verkündete Quiekschnauz, daß die Hennen, die eben wieder zu legen begonnen hatten, ihre Eier abliefern müßten. Napoleon hatte, durch Whympers Vermittlung, einen Kontrakt über die Lieferung von vierhundert Eiern in der Woche abgeschlossen. Mit dem Preis dieser Eier könnte man hinreichend Korn und Futtermittel kaufen, um die Farm in Gang zu halten, bis der Sommer kam und die Lebensverhältnisse leichter wurden.

Als die Hennen das hörten, erhoben sie ein schreckliches Geschrei. Man hatte ihnen wohl warnend vorausgesagt, daß dieses Opfer nötig werden könnte, aber sie hatten nie geglaubt, daß es wirklich dazu kommen würde. Sie hatten gerade alles vorbereitet, um im Frühjahr zu brüten, und sie erklärten, die Eier jetzt wegzunehmen sei Mord. Zum erstenmal seit Jones' Vertreibung regte sich etwas, was einer Revolte glich. Von drei jungen Minorcahühnchen geführt, unternahmen die Hühner einen entschlossenen Versuch, Napoleons Wünsche zu durchkreuzen. Ihre Methode bestand darin, auf die Dachsparren zu fliegen und dort ihre Eier zu legen, die dann auf dem Boden zerschmetterten. Napoleon handelte rasch und rücksichtslos. Er befahl, daß die Hühner keine Rationen zu erhalten hätten, und bestimmte, daß jedes Tier, das ihnen auch nur ein Korn zusteckte, mit dem Tode zu bestrafen sei. Die Hunde achteten darauf, daß diese Befehle ausgeführt wurden. Fünf Tage lang hielten die Hühner durch, dann ergaben sie sich und kehrten an ihre Brutstätten zurück. Neun Hühner waren in der Zwischenzeit gestorben. Ihre Leichen wurden im Obstgarten begraben, und man gab die Parole aus, sie seien an Coccidiosis gestorben. Von dieser Geschichte erfuhr Whymper nichts, und die Eier wurden pünktlich geliefert. Der Wagen eines Händlers fuhr einmal in der Woche zur Farm hinauf, um sie abzuholen.

In dieser ganzen Zeit hatte man von Schneeball

nichts mehr gesehen. Angeblich verbarg er sich auf einer der Nachbarfarmen, entweder im Fuchswald oder im Klemmhof. Napoleons Beziehungen zu den anderen Farmen hatten sich unterdessen ein wenig gebessert. Zufällig stand im Hof der Farm ein Holzstoß, der schon vor zehn Jahren aufgeschichtet worden war, als man in einem kleinen Wäldchen Buchen geschlagen hatte. Es war gut getrocknet, und Whymper hatte Napoleon zum Verkauf geraten; beide, Mr. Pilkington und Mr. Frederick, hätten es gern gekauft. Napoleon schwankte zwischen den beiden und konnte sich nicht recht entschließen. Man bemerkte, daß jedesmal, wenn er mit Frederick zu einem Abkommen zu gelangen schien, das Gerücht wissen wollte, Schneeball halte sich im Fuchswald verborgen, und wenn er mehr zum Abschluß mit Pilkington neigte, sollte Schneeball sich im Klemmhof aufhalten.

Plötzlich, zu Beginn des Frühjahrs, wurde etwas höchst Beunruhigendes entdeckt. Schneeball besuchte nachts heimlich die Farm! Die Tiere waren so erregt, daß sie kaum noch in ihren Ställen schlafen konnten. Jede Nacht, hieß es, käme er unter dem Schutz der Dunkelheit angeschlichen und verübe Missetaten aller Art. Er stahl das Korn, er warf die Milcheimer um, er zerbrach die Eier, er zertrampelte die Saaten, er knabberte an der Rinde der Obstbäume. Was immer schiefgehn mochte, wurde gewöhnlich Schneeball zugeschrieben. War ein Fenster zerbrochen oder ein Ablauf verstopft, so erklärte bestimmt einer, Schneeball sei bei Nacht gekommen und habe es getan, und wenn der Schlüssel des Speichers sich nicht fand, so war die ganze Farm davon überzeugt, Schneeball habe ihn in den Brunnen geworfen. Seltsam genug – man blieb bei diesem Glauben sogar dann, als der verlegte Schlüssel sich unter einem Futtersack fand. Einstimmig erklärten die Kühe, Schneeball dringe nachts in den Stall ein und melke sie, während sie schliefen. Die Ratten, die sich in diesem Winter unangenehm bemerkbar gemacht hatten, galten auch für Bundesgenossen Schneeballs. Napoleon entschied, daß über Schneeballs Umtriebe eine peinliche Untersuchung einzuleiten sei. In Begleitung der Hunde unternahm er eine sorgfältige Musterung der Farmgebäude, in respektvoller Distanz gefolgt von den anderen Tieren. Immer wieder machte Napoleon nach wenigen Schritten halt und schnüffelte auf dem Boden nach Schneeballs Spuren, die er, wie er sagte, am Geruch zu erkennen vermöge. Er schnüffelte in jeder Ecke, in der Scheune, im Kuhstall, im Hühnerhaus, im Gemüsegarten, und fast überall fand er Spuren von Schneeball. Er senkte den Rüssel auf den Boden, schnüffelte mehrmals tief und schrie dann mit schrecklicher Stimme: »Schneeball! Er ist hier gewesen! Ich kann ihn deutlich wittern!« Und bei dem Wort ›Schneeball‹ ließen die Hunde ein Knurren hören, bei dem einem das Blut gerann, und zeigten ihre Reißzähne. Die Tiere waren im tiefsten erschrocken. Es war ihnen, als wäre Schneeball eine Art unsichtbarer Macht, die die umgebende Luft durchdrang und sie mit Gefahren aller Art bedrohte. Abends rief Quiekschnauz sie zusammen, und mit besorgter Miene sagte er, er habe ihnen sehr ernste Neuigkeiten mitzuteilen.

»Kameraden!« schrie Quiekschnauz und hüpfte nervös hin und her, »etwas höchst Schreckliches ist entdeckt worden. Schneeball hat sich Frederick vom Klemmhof verkauft, der eben jetzt plant, uns anzugreifen und uns die Farm wegzunehmen! Schneeball soll als Führer dienen, wenn der Angriff beginnt. Aber es gibt noch Schlimmeres. Wir hatten geglaubt, Schneeballs Revolte sei nur auf seine Eitelkeit und seinen Ehrgeiz zurückzuführen. Aber wir täuschten uns, Kameraden. Wißt ihr, was der wahre Grund war? Schneeball war von Anfang an mit Jones im Bunde. Er war die ganze Zeit hindurch Jones' Geheimagent. Das alles ist durch Dokumente bewiesen, die er zurückgelassen hat, und die wir erst jetzt entdeckten. Meiner Ansicht nach wird dadurch sehr vieles klar, Kameraden. Haben wir nicht selber gesehen, wie er – glücklicherweise ohne Erfolg – versuchte, uns in der Schlacht vom Kuhstall Niederlage und Vernichtung zu bereiten?«

Die Tiere waren völlig verblüfft. Das war ja eine Bosheit, die noch weit über die Zerstörung des Turmes hinausging. Aber es dauerte einige Minuten, bevor sie das völlig erfassen konnten. Sie erinnerten sich alle, oder glaubten sich zu erinnern, wie sie Schneeball in der Schlacht vom Kuhstall an ihrer Spitze angreifen gesehen hatten, wie er sie bei jeder Wendung wieder gesammelt und ermutigt, wie er keinen Augenblick nachgelassen hatte, selbst als die Schrotkugeln aus Jones' Flinte ihn am Rücken verwundeten. Zunächst war es doch ein wenig schwierig, zu erkennen, wie das zu seinem Bündnis mit Jones paßte. Selbst Boxer, der nur selten Fragen stellte, war verwirrt. Er legte sich nieder, zog die Vorderhufe unter sich, schloß die Augen und brachte es mit schwerer Mühe fertig, seine Gedanken auszudrücken.

»Ich glaube das nicht«, sagte er. »Schneeball hat in der Schlacht vom Kuhstall tapfer gekämpft. Ich habe ihn selbst gesehen. Haben wir ihm nicht sogleich nachher den Orden ›Tierheld erster Klasse‹ verliehen?«

»Das war unser Irrtum, Kamerad. Denn jetzt wissen wir – es steht alles in den geheimen Dokumenten, die wir gefunden haben –, daß er uns in Wirklichkeit in unser Verderben locken wollte.«

»Aber er wurde doch verwundet«, sagte Boxer. »Wir alle sahen, wie er blutete.«

»Das gehört zu dem Komplott!« schrie Quiekschnauz. »Jones' Schuß hat ihn nur gestreift. Ich könnte euch das alles in seiner eigenen Schrift zeigen, wenn ihr lesen könntet. Schneeballs Rolle in der Verschwörung war es, im kritischen Augenblick das Signal zur Flucht zu geben und dem Feinde das Feld zu räumen. Und beinahe wäre ihm das auch gelungen – ich will sogar sagen, Kameraden, es wäre ihm wirklich gelungen, wenn nicht unser heldenhafter Führer, Kamerad Napoleon, dagewesen wäre. Erinnert ihr euch nicht, wie, just in dem Augenblick, da Jones und seine Leute in den Hof eindrangen, Schneeball plötzlich kehrt machte und floh, und viele Tiere ihm folgten? Und erinnert ihr euch nicht auch, wie, just in diesem Augenblick, da sich die Panik verbreitete und alles verloren schien, Kamerad Napoleon mit dem Schrei ›Tod der Menschheit!‹ vorwärts sprang und seine Zähne in Jones' Bein schlug? Bestimmt erinnert ihr euch daran, Kameraden!« rief Quiekschnauz und hüpfte auf und ab.

Jetzt, da Quiekschnauz die Szene so plastisch schilderte, hatten die Tiere den Eindruck, als erinnerten sie sich daran. Jedenfalls erinnerten sie sich daran, daß Schneeball sich im kritischen Augenblick der Schlacht zur Flucht gewandt hatte. Aber Boxer fühlte sich noch immer nicht ganz behaglich bei der Sache.

»Ich glaube nicht, daß Schneeball von Anfang an ein

Verräter war«, sagte er endlich. »Was er seither getan hat, das steht auf einem andern Blatt. Aber ich glaube, daß er bei der Schlacht vom Kuhstall ein guter Kamerad gewesen ist.«

»Unser Führer, Kamerad Napoleon«, verkündete Quiekschnauz und sprach sehr langsam und fest, »hat kategorisch erklärt – kategorisch, Kamerad –, daß Schneeball von allem Anfang an Jones' Agent gewesen ist – ja, und lange bevor man überhaupt an Revolution gedacht hatte.«

»Ja, das ist etwas anderes«, sagte Boxer. »Wenn Kamerad Napoleon es sagt, muß es wahr sein.«

»Das ist der rechte Geist, Kamerad!« rief Quiekschnauz, doch es blieb nicht unvermerkt, daß er Boxer mit seinen kleinen, zwinkernden Augen einen sehr häßlichen Blick zuwarf. Er wandte sich zum Gehen, dann aber blieb er noch einmal stehen und fügte eindringlich hinzu: »Ich fordere jedes Tier auf dieser Farm auf, die Augen weit offen zu halten. Denn wir haben Grund zu glauben, daß einige von Schneeballs Geheimagenten in dieser Stunde hier in unserer Mitte lauern.«

Vier Tage vergingen, da befahl Napoleon den Tieren, sich am späten Nachmittag im Hof zu versammeln. Als sie alle beisammen waren, trat Napoleon aus dem Farmhaus, mit beiden Orden geschmückt – denn er hatte sich kürzlich den ›Tierheld erster Klasse‹ und den ›Tierheld zweiter Klasse‹ selber verliehen – und begleitet von den neun mächtigen Hunden, die ihn umsprangen und ein Knurren hören ließen, bei dem es den Tieren schaudernd das Rückgrat hinunterlief. Sie kauerten schweigend auf ihren Plätzen und schienen zu ahnen, daß etwas Furchtbares bevorstünde.

Napoleon musterte seine Zuhörer streng; dann stieß er ein hohes Quieken aus. Unverzüglich sprangen die Hunde vorwärts, packten vier von den Schweinen bei den Ohren und schleppten sie, die vor Schreck und Schmerz quiekten, zu Napoleons Füßen. Die Ohren der Schweine bluteten, die Hunde hatten Blut geleckt, und sekundenlang schienen sie ganz von Sinnen zu sein. Zu allgemeiner Bestürzung sprangen drei von ihnen auf Boxer los. Boxer sah sie kommen, streckte den mächtigen Huf aus, fing einen Hund in der Luft auf und schmetterte ihn zu Boden. Der Hund flehte heulend um Gnade, und die beiden andern liefen, den Schwanz zwischen den Beinen, davon. Boxer warf einen Blick auf Napoleon, um zu hören, ob er den Hund zertrampeln oder laufenlassen sollte. Napoleon schien ein wenig aus der Fassung zu geraten, und er befahl Boxer scharf, den Hund laufenzulassen. Boxer hob den Huf, und der Hund hinkte zerschlagen und heulend davon.

Jetzt ebbte der Tumult ab. Die vier Schweine warteten zitternd, aus ihrer Haltung sprach klar ihr Schuldbewußtsein. Napoleon forderte sie auf, ihre

Verbrechen zu bekennen. Es waren dieselben Schweine, die protestiert hatten, als Napoleon die Sonntagsversammlungen abschaffte. Ohne weiteres Drängen bekannten sie, daß sie mit Schneeball, seit seiner Verjagung, insgeheim in Verbindung gestanden seien, daß sie mit ihm an der Zerstörung des Turmes der Windkraftanlage mitgearbeitet hätten, und daß sie im Einverständnis mit ihm die Farm der Tiere Mr. Frederick in die Hände spielen wollten. Sie fügten hinzu, Schneeball habe ihnen gegenüber zugegeben, daß er seit Jahren Mr. Jones' Geheimagent gewesen sei. Als sie ihre Beichte beendet hatten, zerfleischten die Hunde ihnen augenblicklich die Kehlen, und mit schrecklicher Stimme fragte Napoleon, ob sonst kein Tier etwas zu gestehen habe.

Die drei Hühner, die bei dem Aufstandsversuch anläßlich der Eierlieferung die Rädelsführerinnen gewesen waren, traten jetzt vor und erklärten, Schneeball sei ihnen im Traum erschienen und habe sie dazu aufgereizt, Napoleons Befehlen nicht zu gehorchen. Auch sie wurden geschlachtet. Dann trat eine Gans vor und gestand, sie habe während der vorjährigen Ernte sechs Ähren unterschlagen und nachts aufgefressen. Dann beichtete ein Schaf, es habe, wie es sagte, von Schneeball dazu angestachelt, sein Wasser in die Tränke abgeschlagen, und zwei andere Schafe gestanden, sie hätten einen alten Widder, einen besonders ergebenen Anhänger Napoleons, ermordet, indem sie ihn um einen Scheiterhaufen herum jagten, während er an Husten litt. Sie alle wurden auf der Stelle geschlachtet. Und so gingen Geständnisse und Hinrichtungen weiter, bis ein Leichenhaufen vor Napoleons Füßen lag und die Luft vom Blutgeruch schwer war – ein Ereignis, unerhört seit Jones' Vertreibung.

Als alles vorüber war, schlichen die übrigen Tiere, ausgenommen die Schweine und die Hunde, davon. Sie waren erschüttert und fühlten sich recht jämmerlich. Sie wußten nicht, was empörender war – der Verrat der Tiere, die sich mit Schneeball verbündet hatten, oder die grausame Sühne, deren Zeugen sie eben gewesen waren. In den alten Zeiten hatte es Blutvergießen gegeben, das nicht minder schrecklich war, aber jetzt, da es in ihrem eigenen Kreise geschah, erschien es ihnen allen als weit furchtbarer. Seit Jones die Farm verlassen hatte bis zum heutigen Tage, war kein Tier von einem anderen Tier getötet worden. Nicht einmal eine Ratte. Sie waren zu der kleinen Erhebung gezogen, wo der halbvollendete Turm des Windmotors stand, und wie auf Verabredung lagerten sie sich dort und drängten sich aneinander, als ob sie sich zu erwärmen suchten – Clover, Muriel, Benjamin, die Kühe, die Schafe und eine ganze Schar von Gänsen und Hühnern – alle, alle, mit Ausnahme der Katze natürlich, die verschwunden war, als Napoleon den Tieren befohlen hatte, sich zu versammeln. Eine ganze Weile sprach keines von ihnen. Nur Boxer blieb stehen. Er trabte unruhig hin und her, sein langer, schwarzer Schweif schlug seine Flanken, und von Zeit zu Zeit stieß er ein erstauntes Wiehern aus. Endlich sagte er:

»Ich verstehe das nicht. Ich hätte nicht geglaubt, daß solche Dinge sich auf unserer Farm ereignen könnten. Irgendein Fehler in uns selber muß daran schuld sein. Soweit ich sehe, ist die einzige Lösung, noch härter zu arbeiten. Von nun an werde ich morgens eine volle Stunde früher aufstehen.«

Und mit seinem schwerfälligen Trab machte er sich auf den Weg nach dem Steinbruch. Dort belud er den Karren zweimal hintereinander mit Steinen und schleppte die Last nach dem Turm, bevor er Feierabend machte.

Die Tiere drängten sich um Clover und sagten nichts. Die Erhebung, auf der sie lagen, gewährte ihnen einen weiten Blick über die Landschaft. Der größte Teil der Farm der Tiere war in ihrer Sichtweite – die lange Weide, die sich zur Hauptstraße erstreckte, die Wiese, das Gehölz, der Teich, der ihnen als Tränke diente, die bebauten Felder, wo der junge Weizen dicht und grün stand, und die roten Dächer der Farmgebäude mit dem Rauch, der sich über den Schornsteinen kräuselte. Es war ein klarer Frühlingsabend. Das Gras und die knospenden Hecken waren von den letzten Strahlen der Sonne vergoldet. Niemals war den Tieren die Farm so begehrenswert erschienen – und nicht ohne eine gewisse Überraschung erinnerten sie sich daran, daß es ihre eigene Farm, jeder Zoll ihr Eigentum war. Als Clover den Abhang hinuntersah, füllten ihre Augen sich mit Tränen. Hätte sie ihre Gedanken auszusprechen vermocht, dann wäre es geschehen, um zu sagen, daß nicht dies das Ziel war, dem sie zugestrebt hatten, als sie sich vor Jahren ans Werk machten, um das Geschlecht der Menschen zu besiegen. Dieses Schauspiel von Grauen und Gemetzel war es nicht, dem sie in jener Nacht freudig entgegengeblickt hatten, da Old Major sie zur Revolution aufrief. Wenn sie selbst je eine Vorstellung von der Zukunft besessen hatte, so war es das Bild einer Gemeinschaft von Tieren, frei von Hunger und Peitsche, alle gleich, jedes nach seinen Fähigkeiten arbeitend, die Starken als Beschützer der Schwachen, wie sie in jener Nacht, da Major sprach, mit ihrem Vorderbein die verwaisten Entlein beschützt hatte. Statt dessen – warum, wußte sie nicht – mußte sie eine Zeit erleben, da keiner seine Meinung auszusprechen wagte, da wilde, knurrende Hunde überall umherstrichen und man mitansehen mußte, wie Kameraden in Stücke gerissen wurden, nachdem sie empörende Verbrechen gebeichtet hatten. In Clovers Geist war kein Gedanke an Widersetzlichkeit oder Ungehorsam. Sie wußte, daß sie alle – selbst unter solchen Umständen – jetzt weit besser dran waren als in Jones' Tagen, und daß man vor allem die Rückkehr der Menschenwesen verhindern mußte. Was immer auch geschehen mochte – sie wollte ihren Glauben bewahren, die Befehle ausführen, die ihr erteilt wurden, und Napoleons Führerschaft anerkennen.

Dennoch aber war es nicht das, dem ihre und der anderen Tiere Hoffnung und Mühe gegolten hatte. Nicht das war es, wofür sie den Turm des Windmotors gebaut und den Kugeln aus Jones' Büchse standgehalten hatten. So etwa waren ihre Gedanken, wenn ihr auch die Worte fehlten, um sie auszudrücken.

Und im Gefühl, als wäre dies gewissermaßen ein Ersatz für die Worte, die ihr nicht kommen wollten, begann sie zu singen: »Tiere von England . . .« Die anderen Tiere, die rund um sie kauerten, nahmen den Gesang auf, und sie sangen ihn dreimal hintereinander – sehr melodisch, aber langsam und traurig, wie sie ihn nie zuvor gesungen hatten.

Sie hatten eben zum dritten Mal gesungen, als Quiekschnauz, von zwei Hunden begleitet, sich ihnen näherte. Man sah ihm an, daß er etwas Wichtiges zu sagen hatte. Er verkündete, daß durch ein besonderes Dekret Kamerad Napoleons »Tiere von England« abgeschafft sei. Von nun an dürfe es nicht mehr gesungen werden.

Die Tiere waren wie niedergeschmettert.

»Warum?« rief Muriel.

»Es ist nicht länger nötig«, sagte Quiekschnauz steif. »›Tiere von England‹ war das Lied der Revolution. Aber die Revolution ist jetzt vorüber. Die Hinrichtung der Verräter heute nachmittag war ihr letzter Akt. Die äußeren wie die inneren Feinde sind besiegt. In ›Tiere von England‹ haben wir unsere Sehnsucht nach einer besseren Gesellschaftsform in künftigen Tagen ausgedrückt. Aber diese Gesellschaftsform ist jetzt verwirklicht worden. Das Lied hat somit offenbar keinen Sinn mehr.«

So verschüchtert sie auch sein mochten, hätten manche Tiere vielleicht doch Protest erhoben, aber in diesem Augenblick setzten die Schafe mit ihrem üblichen Geblök »Vierbeiner gut, Zweibeiner schlecht« ein, das mehrere Minuten dauerte und jede Diskussion im Keime erstickte.

So wurde ›Tiere von England‹ nicht mehr gehört. An seiner Statt hatte der Dichter Minimus ein anderes Lied komponiert, das mit den Worten begann:

»Farm der Tiere, glückliche Farm,
Nie treffe dich durch mich ein Harm!«

und von nun an wurde jeden Sonntagmorgen nach dem Hissen der Flagge dieses Lied gesungen. Doch die Tiere hatten den Eindruck, daß irgendwie weder Worte noch Melodie dem alten Lied gleichkamen.

Achtes Kapitel

Einige Tage später, als das Entsetzen über die Hinrichtungen gewichen war, erinnerten sich mehrere Tiere – oder glaubten doch, sich zu erinnern –, daß das Sechste Gebot bestimmte: ›Kein Tier soll ein anderes Tier töten.‹ Und obgleich keiner besonderen Wert darauf legte, in Hörweite von Schweinen und Hunden davon zu reden, fühlten sie doch, daß diese Hinrichtungen sich nicht mit dem Gebot vertrugen. Clover bat Benjamin, er möge ihr das Sechste Gebot vorlesen, und als Benjamin, wie gewöhnlich, erklärte, er wolle mit diesen Dingen nichts zu tun haben, da holte sie Muriel. Und Muriel las ihr das Gebot vor. Es lautete: ›Kein Tier soll ein anderes Tier grundlos töten.‹ Irgendwie war dieses eine Wort dem Gedächtnis der Tiere entfallen. Aber sie erkannten jetzt, daß das Gebot nicht verletzt worden sei; denn es gab zweifellos gute Gründe genug, um die Verräter zu töten, die sich mit Schneeball verbündet hatten.

Das ganze Jahr hindurch arbeiteten die Tiere noch härter, als sie im Vorjahr gearbeitet hatten. Den Turm des Windmotors mit doppelt so dicken Mauern wie vorher wieder aufzubauen und ihn zum bestimmten Tag zu vollenden, das war, zusammen mit der regelmäßigen Arbeit auf der Farm, eine ungeheure Leistung. Es gab Zeiten, da es den Tieren schien, als arbeiteten sie länger und seien nicht besser genährt als zu Jones' Tagen. Sonntag morgens las Quiekschnauz ihnen von einem langen Papierstreifen, den er mit seinen Beinen festhielt, eine endlose Liste von Ziffern vor, die bewiesen, daß die Produktion von Futtermitteln jeder Art um zweihundert Prozent, um dreihundert Prozent oder fünfhundert Prozent angestiegen sei. Die Tiere hatten keinen Grund, ihm nicht zu glauben, zumal da sie sich nicht mehr ganz klar an die Lebensbedingungen vor der Revolution erinnerten. Immerhin kamen Tage, an denen sie meinten, sie hätten lieber weniger Zahlen und mehr Futter. Alle Befehle wurden jetzt von Quiekschnauz oder einem anderen Schwein ausgegeben. Napoleon selbst ließ sich kaum einmal in vierzehn Tagen in der Öffentlichkeit sehen. Wenn er erschien, dann war er nicht bloß von seinem Gefolge von Hunden begleitet, sondern auch von einem schwarzen Hahn, der ihm voranging und gewissermaßen als Trompeter diente und, bevor Napoleon zu sprechen begann, ein lautes ›Kikeriki‹ erschallen ließ. Selbst im Farmhaus, so hieß es, bewohnte Napoleon Räume, die von den anderen abgesondert waren. Er nahm seine Mahlzeiten allein ein, zwei Hunde warteten ihm auf, und er aß ständig von dem Crown Derby-Service, das im Glasschrank im Wohnzimmer stand. Es wurde auch verkündet, daß die Flinte von nun an nicht nur an den beiden anderen Gedenktagen, sondern auch an Napoleons Geburtstag abgefeuert werden solle.

Man sprach von Napoleon niemals mehr einfach als ›Napoleon‹. Er wurde nur noch höchst formell als ›Unser Führer, Kamerad Napoleon‹ bezeichnet, und die Schweine liebten es, für ihn Titel zu erfinden wie ›Vater aller Tiere‹, ›Schrecken der Menschheit‹, ›Beschützer der Schafsrasse‹, ›Entenfreund‹ und dergleichen. In seinen Reden sprach Quiekschnauz mit herabrollenden Tränen von Napoleons Weisheit, seiner Herzensgüte und der tiefen Liebe, die er für alle Tiere allerorten hege und im besonderen für jene, die noch auf den anderen Farmen in Unwissenheit und Sklaverei lebten. Es war üblich geworden, Napoleon das Verdienst an jeder erfolgreichen Leistung und an jedem Glückszufall zuzusprechen. Häufig konnte man ein Huhn zum anderen sagen hören: »Unter der Leitung unseres Führers, Kamerad Napoleons, habe ich in sechs Tagen fünf Eier gelegt«; oder man hörte zwei Kühe an der Tränke rufen: »Wie gut schmeckt, dank der Führerschaft Kamerad Napoleons, dieses Wasser!« Das allgemeine Empfinden fand den richtigen Ausdruck in einem Gedicht, betitelt ›Kamerad Napoleon‹, das Minimus verfaßt hatte, und das folgendermaßen lautete:

»Dich als Vater aller Waisen,
Unsres Glückes Quell zu preisen,
Fürst vom Troge, ach, wie brenn ich schon!
Fühl die hohe Wonne ganz,
Seh ich unterm Siegeskranz
Deines Blickes Herrscherglanz,
Kamerad Napoleon.

Was dein Volk verlangt vom Leben,
Hast du reichlich ihm gegeben,
Trocknes Stroh und zweimal Fraß zum Lohn,
Alle Tiere groß und klein
Schlummern sanft und friedlich ein,
Denn es wacht das Auge dein,
Kamerad Napoleon.

Wird ein Ferkel mir geboren,
Spitz' es gleich die kleinen Ohren,
An der Zitze lehr ich meinen Sohn,
Bringe ihm energisch bei
Untertanenlieb und Treu,
Und sein erstes Quieken sei:
Kamerad Napoleon!«

Napoleon billigte dieses Kunstwerk und ordnete an, daß es an der Wand der großen Scheune, den Sieben Geboten gegenüber, anzuschreiben sei. Darüber prangte ein Profilbild Napoleons, von Quiekschnauz in weißer Farbe ausgeführt.

Unterdessen war Napoleon durch die Vermittlung Whympers in schwierige Verhandlungen mit Frederick und Pilkington eingetreten. Der Holzstoß war noch immer unverkauft. Von den beiden Verhandlungspartnern war Frederick wohl mehr darauf erpicht, wollte aber keinen annehmbaren Preis bieten. Gleichzeitig gingen neuerdings Gerüchte um, daß Frederick und seine Leute sich verschworen hätten, die Farm anzugreifen und den Turm des Windmotors zu zerstören, dessen Bau Fredericks Eifersucht zu wahrer Wut angestachelt hatte. Noch immer sollte Schneeball sich auf dem Klemmhof versteckt halten. Im Hochsommer wurden die Tiere durch die Nachricht alarmiert, daß drei Hühner sich meldeten, um zu beichten, sie hätten, von Schneeball angestachelt, ein Komplott geschmiedet, um Napoleon zu ermorden. Sie wurden unverzüglich hingerichtet, und man ergriff neue Vorsichtsmaßnahmen zu Napoleons Sicherheit. Vier Hunde bewachten nachts sein Bett, jeder an einem Pfosten, und ein junges Schwein namens Rosenaug wurde damit betraut, alles Futter zu kosten, bevor Napoleon es fraß, um einen Giftmord zu verhindern.

Etwa zur gleichen Zeit wurde bekanntgegeben, daß Napoleon den Holzstoß an Mr. Pilkington verkauft habe; er war auch im Begriff, einen regelmäßigen Vertrag betreffend den Austausch bestimmter Produkte zwischen der Farm der Tiere und dem Fuchswald abzuschließen. Die Beziehungen zwischen Napoleon und Pilkington nahmen ihren Weg zwar durch Vermittlung Mr. Whympers, waren aber jetzt beinahe freundlich. Die Tiere mißtrauten Pilkington, als einem Menschenwesen, zogen ihn aber dennoch bei weitem Frederick vor, den sie haßten und fürchteten. Im weiteren Verlauf des Sommers, als der Bau des Turmes sich der Vollendung näherte, verdichteten sich die Gerüchte über ein bevorstehendes Attentat immer mehr. Frederick, hieß es, habe vor, zwanzig Mann, mit Gewehren bewaffnet, gegen sie aufzustellen, und er habe bereits Behörden und Polizei bestochen, so daß man ihm keine weiteren Schwierigkeiten machen würde, wenn er einmal die Besitzurkunden der Farm der Tiere an sich gebracht hätte. Überdies sickerten schreckliche Geschichten über die grausame Behandlung durch, die Fredericks Tiere zu erdulden hätten. Er habe ein altes Pferd totgepeitscht, er lasse die Kühe hungern, er habe einen Hund getötet, indem er ihn in den Ofen warf, er unterhalte sich abends damit, Hähne miteinander kämpfen zu lassen, denen er Splitter von Rasierklingen an die Sporen binde. Das Blut der Tiere kochte vor Wut, wenn sie hörten, daß ihren Kameraden solche Dinge angetan wurden, und manchmal verlangten sie, man möge ihnen erlauben, samt und sonders den Klemmhof anzugreifen, die Menschen zu verjagen und die Tiere zu befreien. Doch Quiekschnauz riet ihnen, unbesonnene Handlungen zu vermeiden und Vertrauen zu Kamerad Napoleons Strategie zu haben.

Nichtsdestoweniger wollte der Groll gegen Frederick nicht abflauen. Eines Sonntagmorgens erschien Napoleon in der Scheune und erklärte, er habe niemals den Verkauf des Holzstoßes an Frederick auch nur erwogen; es sei unter seiner Würde, sagte er, mit Schurken dieser Art zu tun zu haben. Die Tauben, die noch immer ausgeschickt wurden, um die Botschaft der Revolution überall hinzutragen, durften keinen Fuß mehr in den Fuchswald setzen und erhielten auch den Befehl, ihre frühere Parole ›Tod der Menschheit‹ fallenzulassen und statt dessen ›Tod Frederick‹ zu rufen. Im Spätsommer trat wieder eine von Schneeballs Machinationen zutage. Die Weizenernte war voll Unkraut, und man entdeckte, daß Schneeball bei einem seiner nächtlichen Besuche Unkraut zwischen die Körner gesät hatte. Ein Gänserich, der mit im Komplott war, beichtete Quiekschnauz seine Schuld und beging unmittelbar darauf Selbstmord, indem er Tollkirschen schluckte. Jetzt erfuhren die Tiere auch, daß Schneeball niemals – wie sehr viele von ihnen bisher geglaubt hatten – mit dem Orden ›Tierheld erster Klasse‹ ausgezeichnet worden war. Das war lediglich eine Fabel, die Schneeball selbst, einige Zeit nach der Schlacht vom Kuhstall, verbreitet hatte. Weit entfernt, einen Orden erhalten zu haben, war er sogar wegen Feigheit in der Schlacht getadelt worden. Abermals hörten die Tiere das mit einer gewissen Bestürzung, aber Quiekschnauz war sehr wohl imstande, sie rasch davon zu überzeugen, daß ihr Gedächtnis sie getäuscht habe.

Durch eine ungeheuerliche, erschöpfende Anstrengung – denn ungefähr gleichzeitig mußte auch die Ernte eingebracht werden – gelang es im Herbst, den Bau des Turmes für den Windmotor zu vollenden. Nun mußte noch die Maschinerie installiert werden, und Whymper verhandelte über den Kauf, aber der Bau selbst war fertig. Trotz allen Schwierigkeiten, trotz Unerfahrenheit, primitivem Handwerkszeug, Unglücksfällen und Schneeballs Verrat stand das Werk am bestimmten Tag vollendet da! Müde, aber stolz umschritten die Tiere ihr Meisterstück; in ihren Augen war es heute noch schöner, als es zum erstenmal gewesen war. Überdies waren die Mauern doppelt so dick wie vorher. Diesmal könnte nichts als Sprengstoff ihnen etwas anhaben. Und wenn sie sich daran erinnerten, wie sie gearbeitet, welche Entmutigungen sie überwunden hatten, welch gewaltigen Unterschied es in ihrem Leben bedeuten würde, sobald erst einmal die Segel sich drehten und der Dynamo lief, wenn sie das alles bedachten, verschwand alle Erschöpfung, und sie sprangen und tanzten mit Triumphgeschrei rund um den Turm. Napoleon selbst kam, von Hunden und Hahn begleitet, um die vollendete Arbeit zu besichtigen; er gratulierte den Tieren persönlich zu ihrer Leistung und verkündete, daß der Bau den Namen ›Napoleonsturm‹ tragen werde.

Zwei Tage später wurden die Tiere zu einer außerordentlichen Versammlung in die Scheune berufen. Sie standen ganz stumm vor Staunen, als Napoleon ihnen mitteilte, er habe das Holz an Frederick verkauft. Morgen würden Fredericks Wagen kommen und es wegführen. Während dieser ganzen Periode scheinbarer Freundschaft mit Pilkington war Napoleon tatsächlich im Einverständnis mit Frederick gewesen.

Alle Beziehungen zum Fuchswald wurden abgebrochen, beleidigende Botschaften wurden an Pilkington gesandt. Die Tauben wurden angewiesen, den Klemmhof zu meiden und ihre Parole von ›Tod Frederick‹ auf ›Tod Pilkington‹ zu ändern. Zu gleicher Zeit versicherte Napoleon den Tieren, daß alle Gerüchte über einen bevorstehenden Angriff auf die Farm völlig unbegründet und die Geschichten von Fredericks Grausamkeit gegen seine Tiere stark übertrieben seien. All diese Gerüchte hätten wahrscheinlich Schneeball und dessen Agenten zu Urhebern. Jetzt wurde bekannt, daß Schneeball sich schließlich nicht auf dem Klemmhof verborgen gehalten habe, daß er tatsächlich niemals dort gewesen sei; er lebe – wie es hieß, in ziemlichem Luxus – im Fuchswald und habe in den ganzen verflossenen Jahren eine Pension von Pilkington bezogen.

Die Schweine gerieten über Napoleons Scharfsinn geradezu in Ekstase. Dadurch daß er mit Frederick freundlich tat, hatte er ihn gezwungen, den Preis um zwölf Pfund zu erhöhen. Doch die Überlegenheit von Napoleons Geist, sagte Quiekschnauz, erweise sich an der Tatsache, daß er niemandem traue, nicht einmal Frederick. Frederick hatte das Holz mit etwas zu bezahlen gewünscht, was man einen Scheck nennt, und das anscheinend ein Stück Papier mit einem Zahlungsversprechen ist. Aber Napoleon war zu schlau für ihn. Er hatte die Zahlung in richtigen Fünfpfundnoten verlangt, die übergeben werden mußten, bevor das Holz abgeholt wurde. Schon hatte Frederick angezahlt; und die Summe, die er gezahlt hatte, genügte gerade, um die Maschinerie für die Windkraftanlage zu kaufen.

Unterdessen wurde das Holz mit großer Geschwindigkeit fortgeschafft. Als nichts mehr davon vorhanden war, berief man die Tiere abermals zu einer außerordentlichen Versammlung in die Scheune, um ihnen Fredericks Banknoten zu zeigen. Selig lächelnd und mit seinen beiden Orden geschmückt, lag Napoleon auf einem Ruhebett aus Stroh auf der Estrade, das Geld neben ihm auf einer Porzellanschüssel aus dem Farmhause aufgestapelt. Langsam gingen die Tiere vorüber und sahen sich daran satt. Und Boxer streckte die Nase vor und beschnupperte die Banknoten, und die fetzigen weißen Dinger raschelten unter seinem Atem.

Drei Tage später gab es ein schreckliches Durcheinander. Whymper kam totenblaß auf seinem Zweirad den Pfad herauf, ließ es im Hof liegen und stürzte geradewegs in das Farmhaus. Im nächsten Augenblick erscholl ein wütendes Gebrüll aus Napoleons Zimmer. Wie ein Lauffeuer verbreitete sich die Nachricht von dem, was geschehen war, über die ganze Farm. Die Banknoten waren falsch! Frederick hatte das Holz umsonst gekriegt!

Napoleon rief sogleich alle Tiere zusammen und sprach mit schrecklicher Stimme das Todesurteil über Frederick aus. Wenn man seiner habhaft werde, sagte Napoleon, so sollte er lebend gekocht werden. Gleichzeitig warnte er. Nach diesem verräterischen Streich müsse man auf das Schlimmste gefaßt sein. In jedem Augenblick konnte Frederick mit seinen Leuten den langerwarteten Angriff auf die Farm unternehmen. Alle Zugänge zur Farm wurden mit Wachen besetzt. Überdies wurden vier Tauben mit einer versöhnlichen Botschaft nach Fuchswald entsandt, die möglicherweise gute Beziehungen zu Pilkington herzustellen imstande war.

Schon am nächsten Morgen erfolgte der Angriff. Die Tiere waren beim Frühstück, als die Späher mit der

Nachricht gelaufen kamen, Frederick und seine Anhänger seien bereits durch das fünffach verriegelte Tor eingedrungen. Die Tiere stürzten ihnen mutig entgegen, diesmal aber sollten sie keinen so leichten Sieg erfechten wie damals in der Schlacht vom Kuhstall. Es waren fünfzehn Mann mit einem halben Dutzend Gewehren, und sobald sie auf fünfzig Meter herangekommen waren, eröffneten sie das Feuer. Dem schrecklichen Krachen und den schmerzenden Schrotkugeln vermochten die Tiere nicht standzuhalten, und trotz allen Anstrengungen Napoleons und Boxers, sie immer wieder zu sammeln, wurden sie in die Flucht geschlagen. Eine ganze Anzahl war bereits verwundet. Sie flüchteten in die Farmgebäude und spähten vorsichtig durch Spalten und Astlöcher. Die große Weide mitsamt dem Turm des Windmotors war in der Hand des Feindes. Jetzt schien sogar Napoleon zu verzweifeln. Er ging wortlos auf und ab, und sein Ringelschwanz wackelte hin und her.

Sehnsüchtige Blicke wurden in die Richtung von Fuchswald geworfen. Wenn Pilkington und seine Leute ihnen zu Hilfe kamen, dann konnte der Tag noch immer gewonnen werden. Doch da kamen die vier Tauben, die tags zuvor ausgesandt worden waren, zurück, und eine von ihnen trug einen Fetzen Papier von Pilkington. Darauf standen die Worte gekritzelt: ›Geschieht euch recht!‹

Unterdessen hatten Frederick und seine Leute bei

dem Turm haltgemacht. Die Tiere beobachteten sie, und ein verzweifeltes Murmeln ging durch ihre Reihen. Zwei von den Männern hatten ein Brecheisen und einen Schmiedehammer mitgebracht. Sie wollten den Turm also zertrümmern.

»Unmöglich!« rief Napoleon. »Dafür haben wir die Mauern viel zu dick gemacht. Nicht in einer Woche könnten sie ihn vernichten. Mut, Kameraden!«

Benjamin aber beobachtete aufmerksam die Gesten der Männer. Die beiden mit Brecheisen und Hammer schlugen ein Loch knapp an der Grundfläche des Turmes. Langsam und beinahe erheitert nickte Benjamin mit seiner langen Nase.

»Das dachte ich mir«, sagte er. »Seht ihr denn nicht, was sie tun? Sofort werden sie eine Sprengladung in das Loch stecken.«

Entsetzt warteten die Tiere. Es war unmöglich, sich jetzt aus dem Schutz der Gebäude hervorzuwagen. Wenige Minuten später sahen sie, wie die Männer nach allen Richtungen auseinander liefen. Dann gab es ein betäubendes Dröhnen. Die Tauben schwirrten hoch aufwärts, und alle Tiere, Napoleon ausgenommen, warfen sich flach zu Boden und verbargen die Gesichter. Als sie sich wieder erhoben, da hing eine mächtige Wolke von schwarzem Rauch über der Stelle, wo der Turm gestanden war. Langsam hob sich der Rauch in der leichten Brise. Der Turm des Windmotors war nicht mehr da.

Bei diesem Anblick kehrte den Tieren der Mut wieder. Furcht und Verzweiflung, die sie eben noch gefühlt hatten, waren von der Wut über diese abscheuliche, verachtenswerte Tat fortgeschwemmt. Ein mächtiger Racheschrei stieg auf, und ohne auf weitere Befehle zu warten, sammelten sie sich und griffen den Feind an. Diesmal scheuten sie die grausamen Schrotkugeln nicht, die wie Hagel auf sie niederprasselten. Es war eine wilde, erbitterte Schlacht. Immer wieder feuerten die Männer, und als die Tiere an sie herangekommen waren, gebrauchten sie ihre Stöcke und die schweren Stiefel. Eine Kuh, drei Schafe und zwei Gänse wurden getötet, und fast jedes Tier war verwundet. Selbst Napoleon, der hinter der Front die Operationen leitete, wurde die Schwanzspitze von einer Kugel weggeschossen. Doch auch von den Männern entkam keiner unversehrt. Drei von ihnen hatten Boxers Hufschläge die Köpfe zerschlagen, einem anderen durchbohrte ein Kuhhorn den Bauch, einem rissen Jessie und Glockenblume beinahe die Hosen herunter. Und als die neun Hunde von Napoleons Leibwache, die er unter dem Schutz der Hecke ein Umgehungsmanöver ausführen ließ, jetzt plötzlich mit wildem Gebell in der Flanke der Männer auftauchten, da übermannte sie die Panik. Sie sahen sich in Gefahr, umzingelt zu werden. Frederick schrie ihnen zu, sich davonzumachen, solange es noch einen Weg gab, und im nächsten Augenblick lief der feige Feind um sein Leben. Die Tiere jagten sie bis ans Ende des Feldes und versetzten ihnen noch einige letzte Tritte, als sie sich den Weg durch die Dornenhecke erzwangen.

Die Tiere hatten gesiegt, aber sie waren erschöpft, und ihr Blut floß. Langsam begannen sie nach der Farm zurückzuhinken. Der Anblick der toten Kameraden, die niedergestreckt auf dem Grase lagen, entlockte vielen von ihnen Tränen. Und in kummervollem Schweigen blieben sie eine Weile vor der Stelle stehen, da einst der Turm ihres Windmotors gestanden war. Ja, er war fort; fast bis auf die letzte Spur war ihre Arbeit vernichtet! Selbst die Fundamente waren teilweise zerstört. Und beim Wiederaufbau konnten sie sich nicht, wie zuvor, derselben Steine bedienen. Denn diesmal waren auch die Steine verschwunden. Die Kraft der Explosion hatte sie Hunderte Meter weit fortgeschleudert. Es war, als ob der Turm nie vorhanden gewesen wäre.

Als sie sich der Farm näherten, hüpfte Quiekschnauz, der während der Schlacht unerklärlicherweise nicht anwesend gewesen war, ihnen schwanzwedelnd und vor Genugtuung strahlend entgegen. Und von den Farmgebäuden her vernahmen die Tiere das feierliche Dröhnen eines Gewehrs.

»Warum wird das Gewehr abgefeuert?« fragte Boxer.

»Um unseren Sieg zu feiern!« schrie Quiekschnauz.
»Welchen Sieg?« sagte Boxer. Seine Knie bluteten, er hatte ein Eisen verloren und den Huf zersplittert, und ein Dutzend Schrotkugeln saßen in seinem Hinterbein.
»Welchen Sieg, Kameraden? Haben wir den Feind nicht von unserem Boden vertrieben? Von dem heiligen Boden der Farm der Tiere?«
»Aber sie haben unseren Turm zerstört. Und wir hatten zwei Jahre lang daran gearbeitet!«
»Was liegt daran? Wir bauen eben einen neuen. Wir werden sechs Windmotore aufstellen, wenn wir Lust dazu haben. Du weißt die riesige Leistung, die wir vollbracht haben, nicht richtig einzuschätzen, Kamerad. Der Feind hielt den Boden besetzt, auf dem wir eben jetzt stehen. Und jetzt haben wir, dank der Führung Kamerad Napoleons, jeden Zoll zurückerobert!«
»Dann haben wir also wiedergewonnen, was wir vorher bereits besaßen«, sagte Boxer.
»Das ist unser Sieg«, sagte Quiekschnauz.
Sie hinkten in den Hof. Die Schrotkugeln unter Boxers Haut schmerzten sehr. Er sah die ganze schwere Arbeit vor sich, die erforderlich war, um den Turm, von den Fundamenten angefangen, wiederaufzubauen, und in seiner Vorstellung rüstete er sich bereits für die Aufgabe. Doch zum erstenmal spürte er, daß er elf Jahre alt war und seine mächtigen Mus-

keln nicht mehr ganz das, was sie einst gewesen waren.

Aber als die Tiere die grüne Flagge sahen, das Gewehr krachen hörten – es wurde siebenmal abgefeuert – und der Rede lauschten, die Napoleon hielt, um sie zu ihrer Haltung zu beglückwünschen, da kam es ihnen schließlich so vor, als hätten sie tatsächlich einen großen Sieg errungen. Die in der Schlacht gefallenen Tiere erhielten ein feierliches Begräbnis. Boxer und Clover zogen den Karren, der als Leichenwagen diente, und Napoleon schritt selbst an der Spitze des Zuges. Zwei Tage lang dauerten die Feierlichkeiten. Es wurde gesungen, es wurden Ansprachen gehalten, und es wurden Schüsse abgegeben. Jedem Tier wurde ein Apfel als Sonderration zugeteilt, zwei Unzen Körner jedem Vogel und drei Hundekuchen jedem Hund.

Es wurde verkündet, daß die Schlacht den Namen ›Schlacht vom Windmotor‹ tragen solle, und daß Napoleon eine neue Auszeichnung geschaffen habe, den ›Orden vom grünen Banner‹, den er sich selbst verlieh. In der allgemeinen Freude wurde die unglückselige Geschichte mit den Banknoten völlig vergessen.

Wenige Tage später stießen die Schweine in den Kellern des Farmhauses auf eine Kiste Whisky. Bei der Besetzung des Hauses war sie übersehen worden. An jenem Abend drang aus dem Farmhaus lautes

Singen, in das sich zu allgemeiner Überraschung auch die Melodie von ›Tiere von England‹ mischte. Um halb zehn etwa sah man deutlich Napoleon, einen alten runden Hut Mr. Jones' auf dem Kopf, aus der Hintertüre treten, rund um den Hof galoppieren und wieder ins Haus verschwinden. Doch am nächsten Morgen lag tiefes Schweigen über dem Farmhaus. Kein Schwein schien sich zu rühren. Es war beinahe neun Uhr, als Quiekschnauz sich zeigte; er ging langsam und niedergeschlagen einher, seine Augen blickten stumpf, sein ganzes Aussehen deutete auf eine schwere Erkrankung. Er rief die Tiere zusammen und erklärte, er habe ihnen eine furchtbare Nachricht mitzuteilen. Kamerad Napoleon liege im Sterben!

Ein Klageschrei erhob sich. Vor die Türen des Farmhauses wurde Stroh gelegt, und die Tiere schlichen mit äußerster Behutsamkeit. Tränen in den Augen fragte eines das andere, was geschehen solle, wenn ihnen der Führer entrissen würde. Es verbreitete sich das Gerücht, es sei Schneeball schließlich doch gelungen, Gift in Napoleons Futter zu mischen. Um elf Uhr erschien Quiekschnauz und gab neuerlich eine Erklärung ab. Als letzte Tat auf Erden habe Kamerad Napoleon ein feierliches Dekret erlassen: das Trinken von Alkohol sei mit dem Tode zu bestrafen.

Abends schien sich Napoleons Befinden einigermaßen zu bessern, und am nächsten Morgen konnte Quiekschnauz mitteilen, er sei auf dem Wege der Genesung. Am Abend dieses Tages war Napoleon wieder bei seiner Arbeit, und am nächsten Tag erfuhr man, er habe Whymper beauftragt, in Willingdon Schriften über das Brauen und Destillieren zu besorgen. Eine Woche später ordnete Napoleon an, daß die kleine Koppel hinter dem Obstgarten, die ursprünglich als Weidegrund für Tiere im Ruhestand vorgesehen war, umgepflügt werden solle. Man behauptete, die Weide sei erschöpft und bedürfe frischer Aussaat, bald aber wurde bekannt, daß Napoleon plante, dort Gerste anzubauen.

Ungefähr um diese Zeit ereignete sich ein seltsamer Zwischenfall, den kaum jemand verstehen konnte. Eines Nachts um zwölf Uhr gab es im Hofe einen lauten Krach, und alle Tiere liefen aus den Ställen. Es war eine Mondnacht. Am Fuße der Scheunenmauer, wo die Sieben Gebote aufgeschrieben waren, lag eine zerbrochene Leiter. Daneben lag, vorübergehend betäubt, Quiekschnauz und unweit von ihm eine Laterne, ein Pinsel und ein umgestürzter Topf mit weißer Farbe. Sogleich bildeten die Hunde einen Ring um Quiekschnauz, und sobald er wieder gehen konnte, eskortierten sie ihn zurück. Keines der Tiere vermochte sich das alles zusammenzureimen, bis auf Benjamin, der verständnisvoll nickte und sehr wohl zu begreifen schien, aber nichts sagte.

Doch wenige Tage später bemerkte Muriel, als sie sich selber die Sieben Gebote vorlas, daß es abermals eines darunter gab, das die Tiere nicht richtig in Erinnerung hatten. Sie hatten gemeint, das Fünfte Gebot laute: ›Kein Tier soll Alkohol trinken‹, aber nun standen noch zwei Worte da, die sie vergessen hatten. Derzeit hieß das Gebot: ›Kein Tier soll im Übermaß Alkohol trinken.‹

Neuntes Kapitel

Die Heilung von Boxers zersplittertem Huf dauerte lange Zeit. Am Tage, nachdem die Siegesfeiern zu Ende waren, hatte man mit dem Wiederaufbau des Turmes begonnen. Boxer wollte keinen einzigen Tag bei der Arbeit fehlen, und es war ihm eine Ehrensache, daß niemand merken sollte, wie er litt. Abends allerdings gestand er Clover, daß sein Huf ihm Sorgen mache. Clover behandelte den Huf mit einem Brei, den sie aus zerkauten Pflanzen bereitete, und sie wie Benjamin drängten Boxer, weniger hart zu arbeiten. »Eine Pferdelunge dauert nicht ewig«, sagten sie ihm. Aber Boxer wollte nicht hören. Er habe nur noch einen einzigen Ehrgeiz, sagte er; er wolle den Bau des Turmes weit fortgeschritten sehen, bevor er selbst das pensionsfähige Alter erreicht habe.

Anfangs, als die Gesetze der Farm der Tiere zum erstenmal aufgestellt worden waren, hatte man die Altersgrenze für Pferde und Schweine auf zwölf, für Kühe auf vierzehn, für Hunde auf neun, für Schafe auf sieben und für Hühner und Gänse auf fünf Jahre angesetzt. Reichliche Ruhegehälter waren zugestanden worden. Bis jetzt hatte sich wohl noch kein Tier zur Ruhe gesetzt, aber in der letzten Zeit stand das Thema immer häufiger zur Diskussion. Jetzt, da das kleine Feld hinter dem Obstgarten für den Anbau von Gerste bestimmt worden war, hieß es, daß eine Ecke der großen Weide abgegrenzt werden solle, um als Ruhesitz für pensionierte Tiere zu dienen. Für ein Pferd, hieß es, sollte das Ruhegeld täglich fünf Pfund Hafer und im Winter fünfzehn Pfund Heu betragen, überdies an öffentlichen Feiertagen eine Karotte oder möglicherweise einen Apfel. Boxers zwölfter Geburtstag fiel in den Spätsommer des folgenden Jahres.

Unterdessen war das Leben recht hart. Der Winter war ebenso kalt wie der letzte, und das Futter war eher noch knapper. Abermals wurden alle Rationen herabgesetzt, abgesehen von denen der Schweine und der Hunde. Eine allzu starre Gleichheit der Rationen, erklärte Quiekschnauz, würde den Grundsätzen des Animalismus widersprechen. Jedenfalls war es ihm nicht weiter schwer, den Tieren zu beweisen, daß es in Wirklichkeit gar keine Futterknappheit gebe, wenn es auch so scheinen möge. Gewiß, man habe es derzeit nötig befunden, die Rationen anzupassen – Quiekschnauz sprach stets von ›Anpassung‹ und niemals von ›Herabsetzung‹ –, aber im Vergleich mit Jones' Zeiten war die Besserung noch immer ungeheuer. Indem er mit rascher, schriller Stimme Ziffern herunterlas, bewies er ihnen im einzelnen, daß sie mehr Hafer, mehr Heu, mehr Rüben hätten als zu Jones' Zeiten, daß sie weniger Arbeitsstunden machen müßten, daß ihr Trinkwasser von besserer Qualität sei, daß die Lebenszeit sich verlängert habe, daß ein größerer Prozentsatz der Neugeborenen das Säuglingsalter überlebe, daß sie mehr Stroh im Stall hätten und weniger unter den Fliegen litten. Die Tiere glaubten ihm jedes Wort. In Wirklichkeit war ihre Erinnerung an Jones und alles, was mit ihm zusammenhing, in ihnen fast erloschen. Sie wußten, daß das Leben heute rauh und ärmlich war, daß sie oft hungerten und oft froren, und daß sie zumeist arbeiteten, wenn sie nicht gerade schliefen. Aber in der alten Zeit war es ohne Zweifel schlimmer gewesen. Der Glaube daran machte sie glücklich. Zudem waren sie in jenen Tagen Sklaven gewesen, und jetzt waren sie frei, und das machte den gewaltigen Unterschied aus; wenigstens verfehlte Quiekschnauz nie, darauf hinzuweisen.

Es waren jetzt viel mehr Mäuler zu füttern. Im

Herbst hatten die vier Säue zu gleicher Zeit geworfen und miteinander einunddreißig Ferkeln das Leben geschenkt. Die jungen Schweine waren gefleckt, und da Napoleon der einzige Eber auf der Farm war, ließ sich die Verwandtschaft leicht erraten. Es wurde verkündet, daß später, wenn man Ziegel und Holz gekauft hätte, im Garten der Farm ein Schulhaus gebaut werden sollte. Vorläufig erhielten die jungen Schweine ihren Unterricht in der Küche des Farmhauses, und zwar von Napoleon selbst. Die Turnstunden fanden im Garten statt, aber man hielt die Schweine davon ab, mit den andern jungen Tieren zu spielen. Um diese Zeit wurde auch eine neue Verordnung erlassen: wenn ein Schwein und ein anderes Tier einander auf dem Wege begegneten, dann mußte das andere Tier zur Seite treten. Auch hatten alle Schweine, welchen Ranges auch immer, das Vorrecht, sonntags ein grünes Band am Schwanz zu tragen.

Die Farm hatte ein leidlich erfolgreiches Jahr hinter sich, war aber noch immer knapp an Bargeld. Es mußten Ziegel, Sand und Kalk für die Schule angeschafft werden, überdies mußte man auch für den Ankauf der Maschinerie des Windmotors sparen. Dann brauchte man Kerzen und Petroleum für die Lampen im Hause, Zucker für Napoleons eigene Tafel, denn den andern Schweinen verbot er, Zucker zu essen, weil es sie fett machte. Und schließlich mußte noch manches andere gekauft werden, wie Werkzeuge, Nägel, Schnüre, Kohle, Draht, Eisen und Hundekuchen. Man mußte eine Ladung Heu und einen Teil der Kartoffelernte verkaufen, und der Eierkontrakt wurde auf sechshundert in der Woche erhöht, so daß die Hennen in diesem Jahr gerade nur so viel Eier ausbrüten konnten, als nötig waren, um den Bestand auf gleicher Höhe zu halten. Die im Dezember herabgesetzten Rationen wurden im Februar abermals herabgesetzt, und um Petroleum zu sparen, wurde die Verwendung von Laternen im Stall verboten. Doch den Schweinen schien es recht gut zu gehn, und tatsächlich setzten sie Gewicht an. Eines Nachmittags, Ende Februar, verbreitete sich ein voller, warmer, appetitlicher Duft, wie die Tiere ihn noch nie gerochen hatten, von dem kleinen Brauhaus über den Hof, das zu Jones' Zeit nicht benützt worden war, und das hinter der Küche stand. Ein Tier meinte, es sei der Geruch gekochter Gerste. Die Tiere schnupperten hungrig und fragten sich, ob ihnen vielleicht ein warmer Brei zum Abendessen bereitet werde. Doch es gab keinen warmen Brei, und am folgenden Sonntag wurde verkündet, daß von nun an die gesamte Gerste den Schweinen vorbehalten bleibe. Das Feld hinter dem Obstgarten war bereits mit Gerste bebaut worden. Und bald sickerte die Neuigkeit durch, daß jetzt jedes Schwein täglich eine Ration von einem halben

Liter Bier erhalten solle, Napoleon selbst aber vier Liter, die ihm in der Suppenschüssel des Crown Derby-Services gereicht wurden.

Doch galt es auch Härten zu ertragen, so wurden sie eben zum Teil dadurch ausgeglichen, daß das Leben heute mehr Würde besaß als früher. Es gab mehr Gesänge, mehr Reden, mehr Umzüge. Napoleon hatte befohlen, daß einmal in der Woche etwas stattzufinden habe, was eine ›spontane Demonstration‹ genannt wurde, deren Zweck es war, die Kämpfe und Triumphe der Farm der Tiere zu feiern. Zu einer bestimmten Stunde hatten die Tiere ihre Arbeit zu verlassen und in militärischer Formation, an der Spitze die Schweine, dann die Pferde, dann die Kühe, dann die Schafe und schließlich das Geflügel, rund um das Gebiet der Farm zu marschieren. Die Hunde strichen links und rechts vom Zuge umher, und allen voran zog Napoleons schwarzer Hahn. Boxer und Clover trugen miteinander ein grünes Banner mit dem Huf und dem Horn und der Inschrift ›Lang lebe Kamerad Napoleon!‹ Nachher wurden Gedichte und Lieder zu Ehren Kamerad Napoleons vorgetragen, eine Rede Quiekschnauz' gab Einzelheiten über die neueste Steigerung der Futterproduktion bekannt, und gelegentlich wurde auch aus dem Gewehr ein Schuß abgefeuert. Die Schafe waren die begeistertsten Mitläufer bei den ›spontanen Demonstrationen‹, und wenn jemand sich darüber beschwerte – wie dies manchmal geschah, sobald weder Schweine noch Hunde zugegen waren –, daß man die Zeit vergeude und bloß in der Kälte herumstehen müsse, da brachten die Schafe ihn bestimmt mit einem ohrenbetäubenden Geblök »Vierbeiner gut, Zweibeiner schlecht!« zum Schweigen. Doch alles in allem machten den Tieren diese Feiern Spaß. Sie fanden es am Ende tröstlich, daran erinnert zu werden, daß sie nun doch ihre eigenen Herren seien, und daß alle Arbeit, die sie leisteten, nur ihnen allein zugute komme. Und so waren sie über dem Singen, den Umzügen, Quiekschnauz' Ziffern, dem Dröhnen des Schusses, dem Krähen des Hahns, dem Flattern der Flagge imstande, wenigstens hin und wieder zu vergessen, daß ihre Bäuche leer waren.

Im April wurde die Farm der Tiere zur Republik ausgerufen, und es wurde nötig, einen Präsidenten zu wählen. Es gab nur einen Kandidaten, Napoleon, der denn auch einstimmig gewählt wurde. Am gleichen Tag wurde bekanntgegeben, daß sich neue Dokumente gefunden hätten, aus denen weitere Einzelheiten über die Verbindung zwischen Schneeball und Jones entnommen werden konnten. Jetzt wurde es klar, daß Schneeball nicht nur, wie die Tiere sich bisher einbildeten, versucht hatte, die Schlacht vom Kuhstall durch eine List zu verlieren, sondern, daß er ganz offen an Jones' Seite gekämpft hatte. Tatsächlich war er es, der damals die menschlichen

Kräfte geführt und sich mit dem Ruf »Lang lebe die Menschheit« in die Schlacht gestürzt hatte. Die Wunden auf Schneeballs Rücken, an die manche Tiere sich noch erinnerten, stammten von Napoleons Zähnen.

Mitten im Sommer tauchte Moses, der Rabe, nach einer Abwesenheit von mehreren Jahren plötzlich wieder auf der Farm auf. Er war ganz unverändert, arbeitete noch immer nichts und sprach wie eh und je vom Kandiszuckerberg. Er flatterte auf einen Baumstamm, schwenkte die schwarzen Flügel und sprach stundenlang zu allen, die hören wollten. »Dort oben, Kameraden«, sagte er feierlich und wies mit dem aufgerissenen Schnabel zum Himmel, »dort oben, gerade jenseits dieser dunklen Wolke, die ihr sehen könnt, dort liegt Kandiszuckerberg, jenes glückliche Land, wo wir armen Tiere uns für immer von unserer Mühsal ausruhen werden!« Er behauptete sogar, er sei auf einem seiner Höhenflüge dort gewesen und habe die ewigen Kleefelder gesehen und den Leinsamenkuchen und die Zuckerstücke, die an den Hecken wüchsen. Viele unter den Tieren glaubten ihm. Ihr Leben, meinten sie, sei heute nichts als Hunger und Arbeit; sei es nicht nur gerecht, daß irgendwo, anderwärts, eine bessere Welt existiere? Nicht leicht zu erklären war die Haltung der Schweine Moses gegenüber. Sie erklärten durchwegs verächtlich, diese Geschichten von Kandiszuckerberg seien nichts als Lügen, aber sie erlaubten ihm dennoch, auf der Farm zu bleiben, nicht zu arbeiten und täglich einen Achtelliter Bier zu beziehen. Nachdem sein Huf verheilt war, arbeitete Boxer härter als je. Allerdings arbeiteten alle Tiere in diesem Jahr wie Sklaven. Abgesehen von der regelmäßigen Farmarbeit und dem Wiederaufbau des Turms für den Windmotor, wurde im März auch noch mit dem Bau des Schulhauses für die jungen Schweine begonnen. Manchmal waren die langen Arbeitsstunden bei unzureichendem Futter schwer zu ertragen, aber Boxer ließ niemals nach. An nichts, was er sagte oder tat, war zu merken, daß seine Kräfte nicht mehr auf der gleichen Höhe waren wie einst. Nur sein Äußeres war ein wenig verändert; die Haut schimmerte nicht mehr wie sonst, und seine mächtigen Flanken schienen eingesunken zu sein. Die anderen sagten: »Boxer wird sich wieder erholen, wenn das Gras im Frühjahr wächst«, aber das Frühjahr kam, und Boxer wurde nicht dicker. Manchmal, wenn er auf dem Abhang, der zur Spitze des Steinbruchs anstieg, seine Muskeln gegen das Gewicht eines riesigen Blocks stemmte, dann schien ihn nichts anderes mehr auf den Beinen zu halten als sein Wille. In solchen Stunden sah man, wie seine Lippen die Worte formten: »Ich will noch härter arbeiten!« Aber die Stimme versagte. Abermals warnten ihn Clover und Benjamin; er möge doch mehr auf seine Gesundheit achten. Doch Boxer hörte nicht auf sie. Sein zwölfter Geburtstag nahte heran. Ihm war es gleich, was geschah, wenn nur ein großer Vorrat an Steinen angehäuft werden konnte, bevor er in Pension ging.

Eines Abends im Sommer sprach es sich plötzlich auf der Farm herum, daß irgend etwas mit Boxer geschehen sei. Er war allein fortgegangen, um noch eine Ladung Steine zum Turm zu schleppen. Und das Gerücht bewahrheitete sich. Einige Minuten später kamen zwei Tauben mit der Meldung geflogen: »Boxer ist gestürzt! Er liegt auf der Seite und kann nicht aufstehn!«

Die Hälfte aller Tiere eilte nach der Erhebung, wo der Turm stehn sollte. Dort lag Boxer zwischen den Deichseln des Karrens, den Hals ausgestreckt und unfähig, den Kopf zu heben. Seine Augen waren glasig, seine Flanken dunkel vor Schweiß. Ein dünner Blutfaden tropfte aus seinem Maul. Clover kniete neben ihm nieder.

»Boxer!« rief sie, »wie geht es dir?«

»Es ist meine Lunge«, sagte Boxer mit schwacher Stimme. »Das macht nichts. Ich glaube, daß ihr den Turm auch ohne mich fertig kriegen werdet. Jetzt ist ein schöner Vorrat an Steinen beisammen. Ich hätte ja ohnehin nur noch einen Monat zu arbeiten gehabt. Ganz aufrichtig – ich freue mich schon lange auf den Ruhestand. Und da Benjamin alt wird, dürfte man ihn vielleicht zur gleichen Zeit pensionieren, damit ich einen Gefährten habe.«

»Wir müssen sogleich Hilfe holen«, sagte Clover. »Einer soll zu Quiekschnauz laufen und ihm melden, was geschehen ist.«

Alle anderen Tiere liefen sogleich zum Farmhaus, um Quiekschnauz die Neuigkeit zu berichten. Nur Clover blieb, und Benjamin, der sich neben Boxer legte und ihm, ohne ein Wort zu sprechen, mit dem langen Schwanz die Fliegen fernhielt. Nach etwa einer Viertelstunde erschien Quiekschnauz, ganz Mitgefühl und Sorge. Er sagte, daß Kamerad Napoleon mit tiefstem Bedauern die Nachricht von dem Unfall eines der verdientesten Arbeiter der Farm vernommen habe und bereits das Nötige veranlasse, damit Boxer im Spital in Willingdon Pflege finden könne. Den Tieren wurde es bei diesen Worten unbehaglich zumute. Bis auf Mollie und Schneeball hatte noch kein Tier die Farm verlassen, und der Gedanke, ihren kranken Kameraden in den Händen von Menschenwesen zu wissen, war ihnen unheimlich. Immerhin konnte Quiekschnauz sie leicht davon überzeugen, daß der Tierarzt in Willingdon Boxers Fall weit sachgemäßer behandeln könne, als es hier auf der Farm möglich wäre. Und etwa eine halbe Stunde später, als Boxer sich einigermaßen erholt hatte, brachte man ihn mit Mühe auf die Beine und es gelang ihm, in den Stall zurückzuhinken, wo Clover und Benjamin ihm ein gutes Strohbett bereitet hatten.

Die beiden nächsten Tage blieb Boxer in seinem Stall. Die Schweine hatten ihm eine große Flasche rosafarbener Medizin geschickt, die sich im Arzneischrank im Badezimmer fand, und Clover gab sie Boxer zweimal am Tage nach dem Futter ein. Abends lag sie in seinem Stall und unterhielt sich mit ihm, während Benjamin die Fliegen von ihm abhielt. Boxer gestand, daß er gar nicht allzu traurig über den Zwischenfall sei. Wenn er sich jetzt gut erholte, dann hatte er wohl noch drei Jahre zu leben, und er freute sich auf die friedlichen Tage, die er in der Ecke der großen Weide verbringen würde. Es wäre das erste Mal, daß er Muße haben würde, um etwas zu lernen und seinen Geist zu bilden. Er habe vor, sagte er, den Rest seines Lebens daran zu wenden, die übrigen zweiundzwanzig Buchstaben des Alphabets zu erlernen.

Immerhin konnten Benjamin und Clover nur nach den Arbeitsstunden bei Boxer sein, und es geschah mitten am Tage, daß der geschlossene Wagen ihn holen kam. Die Tiere waren sämtlich unter Aufsicht eines Schweins dabei, ein Rübenfeld zu jäten, als sie erstaunt Benjamin von den Stallgebäuden hergaloppieren sahen, der mit schriller Stimme schrie. Es war das erste Mal, daß sie Benjamin jemals erregt sahen – ja, und es war auch das erste Mal, daß sie ihn galoppieren sahen. »Schnell, schnell!« schrie er. »Kommt sofort! Boxer wird abgeholt!« Ohne den

Befehl des Schweins abzuwarten, stellten sämtliche Tiere die Arbeit ein und eilten zu den Farmgebäuden zurück. Ja, wahrhaftig, da im Hofe stand ein großer, geschlossener Wagen, gezogen von zwei Pferden, an beiden Seiten des Wagens waren Reihen von Buchstaben, und auf dem Bock saß ein listig blickender Mann mit tiefem, rundem Hut. Und Boxers Stall war leer.

Die Tiere scharten sich um den Wagen. »Leb wohl, Boxer«, riefen sie im Chor. »Leb wohl!«

»Ihr Narren!« schrie Benjamin, der sie umsprang und mit seinen kleinen Hufen die Erde stampfte, »ihr Narren! Seht ihr denn nicht, was an diesem Wagen angeschrieben steht?«

Da wurde es still unter den Tieren, und Muriel begann die Worte zu buchstabieren. Aber Benjamin schob sie zur Seite, und inmitten eines tödlichen Schweigens las er:

»›Alfred Simmonds, Pferdemetzger und Leimsieder, Willingdon. Handel mit Häuten und Knochenmehl. Lieferant für Hundezwinger‹. Versteht ihr denn nicht, was das heißt? Sie bringen Boxer zum Abdecker!«

Ein Schrei des Entsetzens erhob sich aus allen Kehlen. In diesem Augenblick aber gab der Mann auf dem Bock seinen Pferden die Peitsche, und der Wagen rollte in raschem Trab aus dem Hof. Alle Tiere folgten mit lautem Geschrei. Clover erzwang sich die Führung. Der Wagen fuhr immer schneller. Clover versuchte, ihre derben Gliedmaßen in Galopp zu bringen, was ihr schließlich auch gelang. »Boxer!« schrie sie. »Boxer! Boxer! Boxer!« Und gerade in dieser Sekunde, als hätte er den Lärm draußen gehört, erschien Boxers Kopf mit der langen Blesse auf der Nase an dem kleinen Fenster in der Hinterwand des Wagens.

»Boxer!« schrie Clover mit schreckerfüllter Stimme. »Boxer! Komm heraus! Komm schnell! Sie schleppen dich zum Tode!«

Alle Tiere nahmen Clovers Schrei auf: »Komm heraus, Boxer, komm heraus!« Doch der Wagen fuhr jetzt mit großer Geschwindigkeit und hatte bereits einen Vorsprung gewonnen. Es war ungewiß, ob Boxer verstanden hatte, was Clover rief. Aber gleich darauf verschwand sein Kopf vom Fenster, und aus dem Innern wurde ein dröhnendes Stampfen von Hufen laut. Er versuchte, die Wände einzutreten. Es hatte eine Zeit gegeben, da einige Tritte von Boxers Hufen genügt hätten, den Wagen in Kleinholz zu zertrümmern. Doch ach, seine Kraft hatte ihn verlassen, und bald wurde das Stampfen schwächer und verhallte ganz. In der Verzweiflung wandten sich die Tiere an die beiden Pferde, die den Wagen zogen. »Kameraden, Kameraden!« riefen sie, »führt doch euren eigenen Bruder nicht zur Schlachtbank!« Doch die blöden Tiere waren zu ahnungslos, um zu begreifen, was vorging, legten nur die Ohren zurück und beschleunigten ihre Schritte. Boxers Kopf erschien nicht mehr am Fenster. Zu spät kam einem Tier der Gedanke, vorzulaufen und das Tor zu schließen, der Wagen rollte eben durch und war bald auf der Landstraße verschwunden. Boxer wurde nie wieder gesehen.

Drei Tage später wurde mitgeteilt, er sei im Spital in Willingdon gestorben, obgleich er jede Pflege erhalten hatte, die ein Pferd nur wünschen konnte. Quiekschnauz kam, um den anderen die Nachricht zu bringen. Er sei, sagte er, während Boxers letzten Stunden dort gewesen.

»Es war der traurigste Anblick, den ich je gesehen habe«, sagte Quiekschnauz, hob das Bein und wischte sich eine Träne aus dem Auge. »Ich war bis zuletzt an seinem Lager. Und als es zu Ende ging und er zu schwach war, um noch ein Wort zu sprechen, flüsterte er mir ins Ohr, sein einziger Kummer sei, daß er dahingehen müsse, ohne die Vollendung des Turmbaus sehen zu können. ›Vorwärts, Kameraden!‹ flüsterte er. ›Vorwärts, im Namen der Revolution. Lang lebe die Farm der Tiere! Lang lebe Kamerad Napoleon! Napoleon hat immer recht.‹ Das waren seine letzten Worte, Kameraden.«

Dann aber änderte sich Quiekschnauz' Haltung plötzlich. Er schwieg einen Augenblick lang, und seine kleinen Augen spähten argwöhnisch umher, bevor er fortfuhr.

Es sei ihm zur Kenntnis gekommen, sagte er, daß ein törichtes und bösartiges Gerücht in Umlauf gewesen sei, als man Boxer abholte. Einige unter den Tieren hätten bemerkt, daß der Wagen, in dem Boxer abtransportiert wurde, die Aufschrift ›Pferdemetzger‹ trug, und da wären sie auf die Idee gekommen, Boxer werde zum Abdecker geschickt. Es sei fast unglaubhaft, sagte Quiekschnauz, daß irgendein Tier so töricht sein könne. Bestimmt, rief er entrüstet, wackelte mit dem Schwanz und hüpfte von einer Seite zur andern, bestimmt kannten sie ihren geliebten Führer, Kamerad Napoleon, besser! Aber die Erklärung sei höchst einfach. Der Wagen habe vorher dem Abdecker gehört, von dem der Tierarzt ihn gekauft habe, und die alte Aufschrift sei noch stehngeblieben. So sei dieser Irrtum entstanden.

Die Tiere fühlten sich sehr erleichtert, als sie das vernahmen. Und als Quiekschnauz fortfuhr, genaue Einzelheiten von Boxers Sterbebett zu geben, von der großartigen Pflege, die ihm zuteil geworden, den teuren Medizinen, die Napoleon bezahlt hatte, ohne auch nur an die Kosten zu denken, da verschwanden ihre letzten Zweifel, und der Kummer, den sie über den Tod ihres Kameraden empfanden, wurde durch den Gedanken gelindert, daß er wenigstens glücklich gestorben war.

Am folgenden Sonntag erschien Napoleon selbst in der Versammlung und hielt eine kurze Ansprache zu

Ehren Boxers. Es sei nicht möglich gewesen, die Überreste des allgemein betrauerten Kameraden zur Bestattung nach der Farm zu bringen, aber er habe angeordnet, daß aus dem Lorbeer im Garten des Farmhauses ein Kranz geflochten und auf Boxers Grab gelegt werden solle. Und in einigen Tagen wollten die Schweine ein Gedenkfest zu Ehren Boxers abhalten. Napoleon endete seine Rede damit, daß er an Boxers Lieblingssprüche erinnerte: »Ich will noch härter arbeiten« und »Kamerad Napoleon hat immer recht« – Leitsätze, sagte er, die jedes Tier sich zu eigen machen sollte.

An dem für das Gedenkfest bestimmten Tag kam der Wagen des Krämers aus Willingdon und lieferte eine mächtige Holzkiste im Farmhaus ab. Und abends hörte man lautes Grölen, dem etwas folgte, das wie ein heftiger Streit klang und gegen elf Uhr mit dem Klirren zerschlagener Gläser endete. Am nächsten Tag rührte sich im Farmhaus vor der Mittagsstunde nicht das geringste, und es sprach sich herum, daß die Schweine sich auf irgendeine Art Geld beschafft hatten, um frischen Whisky zu kaufen.

Zehntes Kapitel

Jahre verflossen. Es wurde gesät und geerntet, und die kurzen Tierleben gingen vorüber. Es kam die Zeit, da niemand mehr vorhanden war, der sich noch an die Tage vor der Revolution zu erinnern vermochte, außer Clover, Benjamin, dem Raben Moses und einer Anzahl Schweine.

Muriel war tot; Glockenblume, Jessie und Schnapper waren tot. Auch Jones war tot – er war in einem Trinkerasyl in einem anderen Teil der Grafschaft gestorben. Schneeball war vergessen. Boxer war vergessen – abgesehen von den wenigen, die ihn gekannt hatten. Clover war jetzt eine alte, fette Mähre mit steifen Gelenken und einer Neigung zu tränenden Augen. Sie war schon zwei Jahre über die Altersgrenze hinaus, aber in Wirklichkeit hatte kein einziges Tier je in Pension gehen können. Das Gerede davon, daß man eine Ecke der Weide für die pensionsberechtigten Tiere vorbehalten wolle, war seit langem verstummt. Napoleon war jetzt ein gereifter Eber von dreihundertdreißig Pfund. Quiekschnauz war so fett, daß er kaum noch aus den Augen schauen konnte. Nur der alte Benjamin war noch immer derselbe, aber er war ein wenig grauer um das Maul geworden und, seit Boxers Tod, mürrischer und schweigsamer denn je.

Es gab jetzt weit mehr Tiere auf der Farm, obgleich

die Steigerung der Zahl nicht ganz dem entsprach, was man in früheren Jahren erwartet hatte. Viele Tiere waren geboren worden, für die die Revolution nur eine nebelhafte Tradition bedeutete, die von Mund zu Mund ging, und andere waren gekauft worden, die bis zu ihrer Ankunft noch niemals etwas davon gehört hatten. Die Farm besaß jetzt außer Clover noch drei Pferde. Es waren prächtige Tiere, willige Arbeiter und gute Kameraden, aber sehr dumm. Keines von ihnen vermochte das Alphabet über den Buchstaben b hinaus zu erlernen. Sie glaubten alles, was man ihnen über die Revolution und die Grundsätze des Animalismus erzählte, besonders aus dem Munde Clovers, an der sie mit beinahe kindlicher Achtung hingen; aber es war zweifelhaft, ob sie sehr viel davon verstanden.

Die Farm blühte jetzt auf und war besser organisiert, sie war um zwei Äcker vergrößert worden, die man Mr. Pilkington abgekauft hatte. Die Windkraftanlage war schließlich mit Erfolg fertiggestellt worden, die Farm besaß eine Dreschmaschine, einen Elevator, und es waren auch noch weitere Gebäude errichtet worden. Whymper hatte sich einen eleganten zweirädrigen Wagen gekauft. Das Windrad allerdings wurde schließlich nicht dazu verwendet, elektrische Kraft zu erzeugen, sondern zum Mahlen von Korn, was einen recht ansehnlichen Nutzen in barem Geld einbrachte. Die Tiere arbeiteten hart am

Bau eines anderen Turmes für einen Windmotor, nach dessen Vollendung, wie man hörte, ein Dynamo eingerichtet werden sollte. Doch all die Üppigkeit, von der Schneeball einst die Tiere träumen gelehrt hatte, die Ställe mit elektrischem Licht, heißem und kaltem Wasser und die Dreitagewoche, wurde nie mehr erwähnt. Napoleon hatte solche Ideen als dem Geiste des Animalismus zuwiderlaufend erklärt. Das wahre Glück, sagte er, liege in harter Arbeit und genügsamem Leben.

Irgendwie hatte man den Eindruck, als sei die Farm reicher geworden, ohne die Tiere selbst reicher zu machen – ausgenommen natürlich die Schweine und die Hunde. Vielleicht lag das teilweise daran, daß es so viele Schweine und so viele Hunde gab. Nicht daß diese Tiere nicht auf ihre Art gearbeitet hätten. Es gab, wie Quiekschnauz nicht müde wurde, zu erklären, unendlich viel Mühe mit der Überwachung und Organisation der Farm. Viel von dieser Arbeit war für die anderen Tiere zu schwer verständlich. So erzählte ihnen Quiekschnauz, daß die Schweine jeden Tag eine gewaltige Mühe an Dinge wenden mußten, die ›Akten‹, ›Rapporte‹, ›Protokolle‹ und ›Memoranden‹ hießen. Das waren breite Stücke Papier, die mit Buchstaben bedeckt werden mußten, und sobald das geschehen war, im Herd verbrannt wurden. Das sei für die Wohlfahrt der Farm von höchster Wichtigkeit, sagte Quiekschnauz.

Doch weder Schweine noch Hunde produzierten durch ihre Arbeit irgendwelches Futter; und es gab ihrer viele, und ihr Appetit war immer gesegnet.

Was die anderen anlangte, verstrich ihr Leben, soweit sie es beurteilen konnten, wie es immer verstrichen war. Sie waren zumeist hungrig, sie schliefen auf Stroh, sie tranken aus dem Teich, sie arbeiteten auf den Feldern; im Winter plagte sie die Kälte und im Sommer plagten sie die Fliegen. Manchmal marterte die älteren unter ihnen ihr verschwommenes Gedächtnis, und sie versuchten festzustellen, ob es in den frühen Tagen der Revolution, kurz nach der Vertreibung Jones', besser gewesen sei oder nicht. Aber sie konnten sich nicht erinnern. Es gab nichts, was sie mit ihrem jetzigen Leben vergleichen konnten: sie konnten sich nur an Quiekschnauz' Ziffern halten, die unabänderlich bewiesen, daß alles jetzt immer besser und besser gehe. Die Tiere fanden das Problem unlösbar; und jedenfalls hatten sie nur wenig Zeit, solchen Fragen nachzugrübeln. Nur der alte Benjamin behauptete, sich an jede Einzelheit seines langen Lebens zu erinnern und zu wissen, daß die Dinge niemals viel besser oder viel schlechter gewesen seien und sein könnten – Hunger, Plackerei und Enttäuschung sei, so sagte er, das unbeugsame Gesetz des Lebens.

Und doch ließen die Tiere niemals die Hoffnung fahren. Mehr noch – sie verloren auch nicht für einen Augenblick das Gefühl, daß es Ehre und Vorzug sei, zur Farm der Tiere zu gehören. Noch immer waren sie die einzige Farm in der ganzen Grafschaft, ja, in ganz England, die Tieren gehörte und von Tieren bewirtschaftet wurde. Nicht eines von ihnen, auch nicht das Jüngste, nicht einmal Neuankömmlinge, die von anderen Farmen, zehn oder zwanzig Meilen entfernt, zu ihnen gebracht wurden, hörten je auf, das anzustaunen. Und wenn sie das Gewehr knallen hörten und die grüne Fahne an der Spitze des Mastes flattern sahen, dann schwollen ihre Herzen in unzerstörbarem Stolz, und die Gespräche wandten sich stets den alten ruhmvollen Tagen zu, der Vertreibung Jones', der Niederschrift der Sieben Gebote, den großen Schlachten, in denen die menschlichen Eindringlinge besiegt worden waren. Keiner der alten Träume war aufgegeben worden. Der Republik der Tiere, die Major vorausgesagt hatte, wenn einmal die grünen Felder Englands nicht mehr von Menschenfüßen beschritten würden, galt noch immer all ihr Glaube. Eines Tages würde sie kommen; vielleicht nicht allzubald, vielleicht nicht zur Lebenszeit der heutigen Tiergenerationen, aber sie würde dennoch kommen. Selbst die Melodie von ›Tiere von England‹ mochte insgeheim da und dort gesummt werden: jedenfalls war es eine Tatsache, daß alle Tiere auf der Farm sie kannten, wenn auch kein einziges gewagt hätte, sie laut zu singen. Mochte ihr Leben auch hart sein, mochten nicht alle ihre Hoffnungen Erfüllung gefunden haben, so waren sie sich doch dessen bewußt, daß sie nicht waren wie andere Tiere. Wenn sie hungrig blieben, so geschah es nicht, weil sie tyrannische Menschenwesen füttern mußten; wenn sie hart arbeiteten, so arbeiteten sie wenigstens für sich selber. Kein Geschöpf nannte ein anderes Geschöpf seinen ›Herrn‹. Alle Tiere waren gleich.

Eines Tages, zu Beginn des Sommers, befahl Quiekschnauz den Schafen, ihm zu folgen, und führte sie nach einem weiten Gelände am anderen Ende der Farm, das von jungen Birken bestanden war. Den ganzen Tag blieben die Schafe dort und fraßen, unter Quiekschnauz' Oberleitung, die Blätter. Abends kehrte er selbst wohl ins Farmhaus zurück, befahl aber den Schafen, da das Wetter warm war, zu bleiben, wo sie waren. Es endete damit, daß sie eine ganze Woche fortblieben und die anderen Tiere in dieser Zeit nichts von ihnen zu sehen bekamen. Den größeren Teil des Tages verbrachte Quiekschnauz bei ihnen. Er lehre sie, wie er sagte, ein neues Lied, und dazu brauche er größte Ruhe.

Kurz nachdem die Schafe zurückgekehrt waren, geschah es an einem lieblichen Abend, als die Tiere ihre Arbeit beendet hatten und nach den Farmgebäuden zogen, daß vom Hofe her das entsetzte Wiehern eines Pferdes erscholl. Erschrocken blieben die

Tiere stehen. Es war Clovers Stimme. Abermals wieherte sie, und alle Tiere setzten sich in Galopp und rannten in den Hof. Und da sahen sie, was Clover gesehen hatte.

Es war ein Schwein, das auf seinen Hinterbeinen ging.

Ja, es war Quiekschnauz. Ein wenig ungeschickt, als wäre er noch nicht völlig gewohnt, seine respektable Masse in dieser Stellung zu halten, aber doch mit vollendetem Gleichgewicht schlenderte er über den Hof. Und einen Augenblick später kam aus der Türe des Farmhauses eine lange Reihe von Schweinen, die sämtlich auf ihren Hinterbeinen einhergingen. Einige konnten es besser als die anderen, eines oder das andere schien sich sogar ein wenig unsicher zu fühlen und sah aus, als hätte es gern einen Stock, auf den es sich stützen könnte, aber ein jedes wußte doch seinen Weg rund um den Hof erfolgreich zu beenden. Dann gab es ein furchtbares Gebell der Hunde, ein schrilles Krähen des schwarzen Hahnes, und aus der Tür trat Napoleon selbst, majestätisch aufrecht, warf stolze Blicke nach allen Seiten, und die Hunde sprangen um ihn herum.

In seinem Huf trug er eine Peitsche.

Es gab ein tödliches Schweigen. Verblüfft, erschreckt, dicht aneinander gedrängt sahen die Tiere zu, wie die lange Reihe der Schweine langsam den Hof umwandelte. Es war, als wäre die Welt völlig auf den

Kopf gestellt. Dann kam ein Augenblick, da der erste Schreck überwunden war, und da trotz allem – trotz der Angst vor den Hunden und trotz der jahrelangen Gewöhnung, nicht zu klagen und nicht zu kritisieren, was auch geschehen mochte – ein Wort des Protestes laut geworden wäre. Aber gerade in diesem Augenblick stimmten, wie auf ein Signal, alle Schafe ein ohrenbetäubendes Blöken an:

»Vierbeiner gut, Zweibeiner besser! Vierbeiner gut, Zweibeiner besser! Vierbeiner gut, Zweibeiner besser!«

So ging das fünf Minuten lang ununterbrochen weiter. Und als die Schafe sich wieder beruhigt hatten, war die Gelegenheit zu Widerspruch vorüber, denn die Schweine waren unterdessen in das Farmhaus zurückmarschiert.

Benjamin fühlte, wie etwas sich an seiner Schulter rieb. Er sah sich um. Es war Clover. Ihre alten Augen blickten trüber als je. Ohne ein Wort zu sagen, zog sie ihn sanft an der Mähne und führte ihn bis zur Wand der großen Scheune, wo die Sieben Gebote angeschrieben worden waren. Eine ganze Minute lang standen sie da und starrten die geteerte Wand mit den weißen Buchstaben an.

»Meine Sehkraft läßt nach«, sagte sie schließlich. »Selbst als ich noch jung war, konnte ich nicht lesen, was da geschrieben stand. Aber mir scheint, als ob die Wand irgendwie anders aussehen würde. Sind die Sieben Gebote dieselben wie früher, Benjamin?« Ausnahmsweise war Benjamin bereit, von seinen Grundsätzen abzugehen, und er las ihr vor, was an der Wand geschrieben stand. Es war nichts da als ein einziges Gebot. Und das lautete:

Alle Tiere sind gleich, aber einige Tiere sind gleicher als andere.

Nun war es auch nicht weiter befremdend, als am nächsten Tag die Schweine, die die Arbeit beaufsichtigten, Peitschen zwischen den Beinen hielten. Es war nicht weiter befremdend, zu erfahren, daß die Schweine einen Radioapparat gekauft hatten, ein Telefon einrichten ließen und ›John Bull‹, ›Tit-Bits‹ und den ›Daily Mirror‹ abonnierten. Es war nicht befremdend, Napoleon, eine Pfeife im Rüssel, durch den Garten des Farmhauses schlendern zu sehen, ja, auch nicht, zu sehen, daß die Schweine Mr. Jones' Kleider aus den Schränken holten und anzogen; Napoleon selbst erschien in schwarzem Rock, schmutzigen Reithosen und Ledergamaschen, während seine Lieblingssau sich in dem schimmernden Seidenkleid zeigte, das Mrs. Jones gewöhnlich sonntags getragen hatte.

Eine Woche später kam nachmittags eine Reihe leichter Wagen vorgefahren. Eine Gruppe benachbarter Farmer war eingeladen worden, die Farm zu besichtigen. Man zeigte ihnen alles, und sie sprachen sich höchst bewundernd aus, im besonderen über das

Windrad. Die Tiere jäteten das Rübenfeld. Sie arbeiteten fleißig, hoben kaum die Köpfe vom Boden und wußten nicht, wovor sie mehr Angst haben sollten, vor den Schweinen oder vor den menschlichen Besuchern.

Abends erscholl Gelächter und Singen aus dem Farmhaus. Und plötzlich, beim Lärm des Stimmengewirrs, wurden die Tiere von Neugier gepackt. Was mochte sich dort drinnen begeben, wo jetzt Tiere und Menschen zum erstenmal einander gleichberechtigt gegenüberstanden? Wie auf Verabredung schlichen sie, so leise wie möglich, in den Farmgarten.

Am Gartentor zögerten sie verschüchtert, aber Clover führte sie weiter. Auf den Fußspitzen gingen sie behutsam bis an das Haus, und jene Tiere, die groß genug waren, spähten durch das Fenster des Eßzimmers. Da, rund um eine lange Tafel, saßen ein halbes Dutzend Farmer und ein halbes Dutzend der hervorragendsten Schweine, Napoleon selbst aber auf dem Ehrenplatz obenan. Die Schweine schienen sich auf ihren Stühlen völlig behaglich zu fühlen. Die Gesellschaft unterhielt sich mit Kartenspielen, hatte das Spiel aber soeben unterbrochen, offenbar weil ein Trinkspruch ausgebracht werden sollte. Ein mächtiger Krug kreiste, und die Humpen wurden mit frischem Bier gefüllt. Keiner bemerkte die erstaunten Gesichter der Tiere am Fenster.

Mr. Pilkington vom Fuchswald erhob sich, den Krug in der Hand. Er werde sogleich, sagte er, die Anwesenden bitten, mit ihm anzustoßen. Doch vorher fühle er die Verpflichtung, einige Worte zu sprechen. Es sei eine Quelle großer Genugtuung für ihn, sagte er – und gewiß auch für alle anderen Anwesenden –, zu fühlen, daß eine lange Periode von Argwohn und Mißverständnis nun ihr Ende gefunden habe. Es habe eine Zeit gegeben – nicht daß er oder sonst einer der Gäste solche Empfindungen geteilt hätten –, aber es habe eine Zeit gegeben, da die hochachtbaren Besitzer der Farm der Tiere von ihren menschlichen Nachbarn mit – er wolle nicht sagen, Feindseligkeit – aber vielleicht mit einer gewissen Besorgnis betrachtet worden seien. Unglückliche Zwischenfälle seien vorgekommen, falsche Vorstellungen verbreitet worden. Man habe die Empfindung gehegt, als sei eine Farm, die Schweinen gehörte und von Schweinen bewirtschaftet wurde, irgendwie ungewöhnlich, und als könnte diese Tatsache auf die Nachbarfarmen einen störenden Einfluß ausüben. Allzu viele Farmer hatten, ohne entsprechende Prüfung der Verhältnisse, angenommen, daß auf einer solchen Farm ein Geist der Ausschweifung und Disziplinlosigkeit herrschen müsse. Sie machten sich Sorgen um die Wirkung auf ihre eigenen Tiere, ja, selbst auf ihre menschlichen Angestellten. Doch nun seien all diese Zweifel verscheucht. Heute hätten er und seine Freunde die Farm der Tiere besucht und jeden Zoll mit ihren eigenen Augen besichtigt; und was hätten sie gefunden? Nicht nur die neuesten Methoden, sondern auch eine Disziplin und Ordnung, die allen Farmern allerorten zum Beispiel dienen sollte. Er glaube, den Nagel auf den Kopf zu treffen, wenn er sage, daß die niederen Tiere auf dieser Farm mehr arbeiteten und weniger Futter erhielten als irgendein anderes Tier in der Grafschaft. Tatsächlich hätten er und seine Freunde heute manches gelernt, was sie auf ihren eigenen Farmen unverzüglich einzuführen gedächten.

Er wolle, sagte er, damit enden, daß er nochmals die Freundschaftlichkeit der Gefühle betone, die zwischen der Farm der Tiere und ihren Nachbarn bestünde und weiterbestehen würde. Zwischen Schweinen und Menschenwesen gebe es keinerlei gegensätzliche Interessen und müsse es auch in Zukunft keine geben. Ihre Kämpfe und ihre Schwierigkeiten wären die gleichen. Sei das Problem der Arbeit nicht überall dasselbe? Hier wurde es offenbar, daß Mr. Pilkington eine wohlvorbereitete Pointe zum besten geben wollte, aber die Heiterkeit übermannte ihn eine Weile, und er konnte kein Wort hervorbringen. Nach reichlichem Grinsen, währenddessen seine übereinander gelagerten Kinne sich violett färbten, gelang es ihm doch, seinen Witz loszuwerden. »Wenn ihr mit euren niederen Tieren zu kämpfen habt, so haben wir dafür unsere niederen Klassen.« Dieses bon mot versetzte die ganze Tafelrunde in lärmende Fröhlichkeit; und nochmals gratulierte Mr. Pilkington den Schweinen zu den geringen Rationen, der langen Arbeitszeit und dem völligen Mangel an Wehleidigkeit, den er auf der Farm der Tiere festgestellt habe.

Und nun, sagte er endlich, wolle er die Gesellschaft bitten, aufzustehen und sich davon zu überzeugen, daß ihre Gläser auch bis an den Rand gefüllt seien. »Meine Herren«, schloß Mr. Pilkington, »meine Herren, ich erhebe mein Glas auf das Gedeihen der Farm der Tiere!«

Da gab es ein begeistertes Johlen und Füßestampfen. Napoleon war so entzückt, daß er seinen Platz verließ, rund um die Tafel schritt, um mit Mr. Pilkington anzustoßen, bevor er seinen Humpen leerte. Als die Zurufe verstummten, blieb Napoleon stehen und ließ merken, daß auch er ein paar Worte zu sagen habe.

Wie alle Reden Napoleons war auch diese kurz und sachlich. Auch er, sagte er, sei glücklich, daß die Periode der Mißverständnisse vorüber sei. Lange Zeit habe es Gerüchte gegeben – ausgestreut, wie er anzunehmen guten Grund habe, von irgendeinem übelwollenden Feinde –, als wäre in seiner und seiner Kollegen Weltanschauung irgend etwas Umstürzlerisches oder Revolutionäres. Man habe ihnen sogar zugetraut, daß sie vorhätten, die Tiere der Nachbarfarmen zur Revolution aufzureizen. Nichts konnte der Wahrheit ferner sein! Ihr einziger Wunsch, heute und in der Vergangenheit, sei, mit den Nachbarn in Frieden und normalen geschäftlichen Beziehungen zu leben. Diese Farm, die zu leiten er die Ehre habe, fügte er hinzu, sei ein kooperatives Unternehmen. Die Eigentumsrechte, die er verwalte, gehörten allen Schweinen gemeinsam.

Er glaube nicht, fuhr er fort, daß noch immer etwas von dem alten Argwohn vorhanden sei, aber gewisse Veränderungen, die neuerdings in der Verwaltung der Farm vorgenommen würden, seien geeignet, das Vertrauen noch weiter zu stärken. Bis jetzt hätten die Tiere der Farm die recht törichte Gewohnheit gehabt, einander als ›Kamerad‹ anzusprechen. Das sollte abgeschafft werden. Es habe auch der seltsame Brauch bestanden, dessen Ursprung unbekannt sei, daß die Tiere jeden Sonntagmorgen an einem Eberschädel vorbeimarschierten, der an einem Pfosten im Garten befestigt war. Auch dies würde abgeschafft, und der Schädel sei bereits vergraben worden. Seine Gäste mochten wohl auch die grüne Flagge bemerkt haben, die vom Mast wehte. In diesem Fall hätten sie vielleicht wahrgenommen, daß Huf und Horn, die vorher darauf sichtbar waren, nunmehr entfernt worden seien. Von jetzt an würde es einfach eine grüne Flagge sein.

Nur einen Einwand habe er gegen Mr. Pilkingtons ausgezeichnete und freundnachbarliche Rede zu erheben, sagte er. Mr. Pilkington habe ständig von der ›Farm der Tiere‹ gesprochen. Er konnte natürlich nicht wissen – denn er, Napoleon, mache das jetzt zum erstenmal bekannt –, daß der Name ›Farm der Tiere‹ abgeschafft sei. Von heute an solle die Farm ›Herrenfarm‹ heißen, was, wie er glaube, ihr richtiger und ursprünglicher Name sei.
»Meine Herren«, schloß Napoleon, »ich werde den gleichen Trinkspruch ausbringen, wie mein verehrter Vorredner, aber in ein wenig veränderter Form. Füllen Sie Ihre Gläser bis an den Rand! Meine Herren, ich erhebe mein Glas: Auf das Gedeihen der Herrenfarm!«
Es folgte der gleiche Jubel wie vorher, und die Gläser wurden bis zur Neige geleert. Doch als die Tiere vor dem Fenster die Szene mitansahen, hatten sie den Eindruck, als ob sich etwas Seltsames begäbe. Was war es nur, das die Gesichter der Schweine so verändert hatte? Clovers alte Augen glitten von einem Gesicht zum anderen. Manche hatten fünf Kinne, manche vier und manche drei. Was war es aber, was sich zu verschmelzen und verändern schien? Als der Beifall sich gelegt hatte, griff die Tischgesellschaft wieder zu den Karten und setzte das unterbrochene Spiel fort, während die Tiere schweigend davonschlichen.

Doch sie waren keine zwanzig Meter gegangen, als sie wieder stehnblieben. Aus dem Farmhaus drang Lärm zu ihnen. Sie eilten zurück und blickten abermals durch das Fenster. Ja, ein heftiger Streit hatte sich erhoben. Es wurde geschrien und auf den Tisch geschlagen, man tauschte scharfe, argwöhnische Blicke und heftige Beschuldigungen. Die Ursache des Spektakels war sichtlich, daß Napoleon und Mr. Pilkington gleichzeitig ein Treffas ausgespielt hatten.

Zwölf Stimmen brüllten zornig, und sie klangen alle gleich. Jetzt war gar kein Zweifel mehr daran, was mit den Gesichtern der Schweine vorgegangen war. Die Tiere draußen schauten von Schwein zu Mensch und von Mensch zu Schwein, und dann nochmals von Schwein zu Mensch; aber es war bereits unmöglich, zu sagen, wer das Schwein und wer der Mensch war.

George Orwell im Diogenes Verlag

Farm der Tiere

Eine Fabel. Deutsch von N. O. Scarpi.
detebe 63/1

Im Innern des Wals

Ausgewählte Essays I. Deutsch von
Felix Gasbarra.
detebe 63/2

Rache ist sauer

Ausgewählte Essays II. Deutsch von
Felix Gasbarra.
detebe 63/3

Mein Katalonien

Bericht über den Spanischen Bürgerkrieg.
Deutsch von Wolfgang Rieger.
detebe 63/4

Erledigt in Paris und London

Sozialreportage. Deutsch von Alexander Schmitz.
detebe 63/5

Auftauchen, um Luft zu holen

Roman. Deutsch von Helmut M. Braem.
detebe 63/6

Das George Orwell Lesebuch

Herausgegeben und mit einem Nachwort von Fritz Senn.
Deutsch von Tina Richter.
detebe 228

Lesebücher im Diogenes Verlag

Das Diogenes Lesebuch klassischer deutscher Erzähler
in drei Bänden: I. von Wieland bis Kleist, II. von Grimm bis Hauff, III. von Mörike bis Busch. Herausgegeben von Christian Strich und Fritz Eicken. detebe 208/1–3

Das Diogenes Lesebuch moderner deutscher Erzähler
in zwei Bänden: I. von Schnitzler bis Kästner, II. von Andersch bis Urs Widmer. Herausgegeben von Christian Strich und Fritz Eicken. detebe 208/4–5

Das Diogenes Lesebuch amerikanischer Erzähler
Geschichten von Washington Irving bis Harold Brodkey. Bio-Bibliographie der Autoren und Literaturhinweise. Herausgegeben von Gerd Haffmans. detebe 117

Das Diogenes Lesebuch englischer Erzähler
Geschichten von Wilkie Collins bis Alan Sillitoe. Bio-Bibliographie der Autoren und Literaturhinweise. Herausgegeben von Gerd Haffmans. detebe 118

Das Diogenes Lesebuch irischer Erzähler
Geschichten von Joseph Sheridan Le Fanu bis Edna O'Brien. Bio-Bibliographie der Autoren und Literaturhinweise. Herausgegeben von Gerd Haffmans. detebe 119

Das Alfred Andersch Lesebuch
Herausgegeben von Gerd Haffmans.
detebe 205

Das Erich Kästner Lesebuch
Herausgegeben von Christian Strich.
detebe 157

Das Karl Kraus Lesebuch
Herausgegeben und mit einem Nachwort von Hans Wollschläger. detebe 219

Das George Orwell Lesebuch
Essays, Reportagen, Betrachtungen. Herausgegeben und mit einem Nachwort von Fritz Senn. Deutsch von Tina Richter. detebe 228

Das Urs Widmer Lesebuch
Herausgegeben von Thomas Bodmer. Vorwort von H. C. Artmann. Nachwort von Hanns Grössel. detebe 221

Werk- und Studienausgaben in Diogenes Taschenbüchern

● **Alfred Andersch**
Studienausgabe in 14 Einzelbänden
detebe 1/1–14

Einige Zeichnungen
Essay. detebe 151

Das Alfred Andersch Lesebuch
Herausgegeben von Gerd Haffmans.
detebe 205

Über Alfred Andersch
Herausgegeben von Gerd Haffmans.
detebe 53

● **Sherwood Anderson**
Ich möchte wissen warum
Erzählungen. detebe 156

● **Angelus Silesius**
Der cherubinische Wandersmann
detebe 204

● **Honoré de Balzac**
Die großen Romane
in 10 Bänden. detebe 245/1–10

Über Balzac
Herausgegeben von Claudia Schmölders.
detebe 152

● **Charles Baudelaire**
Die Tänzerin Fanfarlo
Prosadichtungen. detebe 144

● **Gottfried Benn**
Ausgewählte Gedichte
Herausgegeben und mit einem Nachwort von Gerd Haffmans. detebe 56

● **Ambrose Bierce**
Die Spottdrossel
Erzählungen. detebe 106

● **James Boswell**
Dr. Samuel Johnson
Biographie. detebe 224

● **Ulrich Bräker**
Werke in 2 Bänden
Herausgegeben von Samuel Voellmy und Heinz Weder. detebe 195/1–2

● **Wilhelm Busch**
Schöne Studienausgabe in 7 Einzelbänden
Herausgegeben von Friedrich Bohne in Zusammenarbeit mit dem Wilhelm-Busch-Museum in Hannover.
detebe 60/1–7

● **Anton Čechov**
Das dramatische Werk in 8 Bänden
in der Neuübersetzung und Neutranskription von Peter Urban.
detebe 50/1–8

Das erzählende Werk in 10 Bänden
Herausgegeben von Peter Urban.
detebe 50/11–20

● **Joseph Conrad**
Lord Jim
Roman. detebe 66/1

Der Geheimagent
Roman. detebe 66/2

Herz der Finsternis
Erzählung. detebe 66/3

● **Das Diogenes Lesebuch amerikanischer Erzähler**
Geschichten von Poe bis Brodkey.
detebe 117

● **Das Diogenes Lesebuch englischer Erzähler**
Geschichten von Stevenson bis Sillitoe.
detebe 118

● **Das Diogenes Lesebuch irischer Erzähler**
Geschichten von Wilde bis O'Brien.
detebe 119
Alle herausgegeben von Gerd Haffmans

● **Das Diogenes Lesebuch klassischer deutscher Erzähler**
in 3 Bänden.
Band I: von Wieland bis Kleist.
Band II: von Grimm bis Hauff.
Band III: von Mörike bis Busch.
detebe 208/1–3

● **Das Diogenes Lesebuch moderner deutscher Erzähler**
in 2 Bänden.
Band I: von Schnitzler bis Kästner.
Band II: von Andersch bis Widmer.
detebe 208/4–5
Alle herausgegeben von Christian Strich und Fritz Eicken

● **Friedrich Dürrenmatt**
Werkausgabe in 30 Bänden
Herausgegeben in Zusammenarbeit mit dem Autor. Alle Bände wurden revidiert und mit neuen Texten ergänzt.
detebe 250/1–29

Über Friedrich Dürrenmatt
Herausgegeben von Daniel Keel. detebe 250/30

● **Meister Eckehart**
Deutsche Predigten und Traktate
detebe 202

● **Joseph von Eichendorff**
Aus dem Leben eines Taugenichts
Novelle. detebe 158

● **William Faulkner**
Werkausgabe in Einzelbänden
detebe 30/1–19

Über William Faulkner
Herausgegeben von Gerd Haffmans.
detebe 54

● **Federico Fellini**
Werkausgabe der Drehbücher und Schriften
Herausgegeben von Christian Strich.
detebe 55/1–13

● **F. Scott Fitzgerald**
Der große Gatsby
Roman. detebe 97/1

Der letzte Taikun
Roman. detebe 97/2

Pat Hobby's Hollywood-Stories
Geschichten. detebe 97/3

Der Rest von Glück
Erzählungen 1920. detebe 97/4

Ein Diamant – so groß wie das Ritz
Erzählungen 1922–1926. detebe 97/5

Der gefangene Schatten
Erzählungen 1926–1928. detebe 97/6

Die letzte Schöne des Südens
Erzählungen 1928–1930. detebe 97/7

Wiedersehen mit Babylon
Erzählungen 1930–1940. detebe 97/8

● **Gustave Flaubert**
Werkausgabe in 7 Bänden
detebe 210/1–6 und 143

Über Gustave Flaubert
Herausgegeben von Gerd Haffmans und Franz Cavigelli. detebe 211

● **Ford Madox Ford**
Die allertraurigste Geschichte
Roman. detebe 163

● **Franz von Assisi**
Die Werke
detebe 201

● Nikolai Gogol
Die Nase
Erzählungen. Zeichnungen von Alfred Kubin. detebe 138

Die toten Seelen
Roman. detebe 141

● Iwan Gontscharow
Ein Monat Mai in Petersburg
Erzählungen. detebe 173

● Jeremias Gotthelf
Ausgewählte Werke in 12 Bänden
Herausgegeben von Walter Muschg. detebe 170/1–12

Gottfried Keller über Jeremias Gotthelf
detebe 169

● Heinrich Heine
Gedichte
Ausgewählt von Ludwig Marcuse. detebe 139

● O. Henry
Gesammelte Geschichten in 6 Bänden
detebe 230/1–6

Glück, Geld und Gauner
Ausgewählte Geschichten. detebe 107

● Hermann Hesse
Die Fremdenstadt im Süden
Erzählungen. Ausgewählt von Volker Michels. detebe 134

● Otto Jägersberg
Drei Lehrstücke:
Land
detebe 180/1

Seniorenschweiz
detebe 180/3

Der industrialisierte Romantiker
detebe 180/4

● Jewgeni Jewtuschenko
Ausgewählte Gedichte
Anthologie der besten Nachdichtungen. detebe 42

● Juan Ramón Jiménez
Herz, stirb oder singe
Gedichte. detebe 146

● James Joyce
Die Toten
Erzählungen aus »Dubliner« und Erzählstücke aus dem »Porträt« und »Ulysses«. Mit einem Nachwort von Fritz Senn. detebe 164

● Das Erich Kästner Lesebuch
Herausgegeben von Christian Strich. detebe 157

● Gottfried Keller
Zürcher Ausgabe
In der Edition von Gustav Steiner. detebe 160/1–8

Über Gottfried Keller
Herausgegeben von Paul Rilla. detebe 167

● Ring Lardner
Geschichten aus dem Jazz-Zeitalter
Herausgegeben von Fritz Güttinger. detebe 78

● D. H. Lawrence
Sämtliche Erzählungen und Kurzromane in 8 Einzelbänden
detebe 90/1–8

Pornographie und Obszönität
Essays. detebe 11

John Thomas & Lady Jane
Roman. detebe 147/1–2

● Doris Lessing
Hunger
Erzählungen. detebe 115

● Carson McCullers
Werkausgabe in 8 Einzelbänden
detebe 20/1–8

● Heinrich Mann
Liebesspiele
Ausgewählte Erzählungen. Mit Zeichnungen von George Grosz.
detebe 57

● Thomas Mann
Der Bajazzo
Ausgewählte Erzählungen. Herausgegeben von Gerd Haffmans. detebe 168

● Ludwig Marcuse
Werkausgabe in Einzelbänden
detebe 21/1–9

● W. Somerset Maugham
Werkausgabe in Einzelbänden
detebe 125/1–10 und detebe 35/5–14

● Herman Melville
Moby-Dick
Roman. detebe 142

Billy Budd
Erzählung. detebe 226

● Molière
Komödien in 7 Einzelbänden
In der Neuübersetzung von Hans Weigel.
detebe 95/1–7

Über Molière
Herausgegeben von Christian Strich, Rémy Charbon und Gerd Haffmans.
detebe 37

● Sean O'Casey
Purpurstaub
Komödie. detebe 2/1

Dubliner Trilogie: Der Schatten eines Rebellen / Juno und der Pfau / Der Pflug und die Sterne
Komödien. detebe 2/2

Ich klopfe an
Autobiographie I. detebe 150/1

Bilder in der Vorhalle
Autobiographie II. detebe 150/2

Trommeln unter den Fenstern
Autobiographie III. detebe 150/3

Irland, leb wohl!
Autobiographie IV. detebe 150/4

Rose und Krone
Autobiographie V. detebe 150/5

Dämmerung und Abendstern
Autobiographie VI. detebe 150/6

● Frank O'Connor
Und freitags Fisch
Erzählungen I. detebe 85/1

Mein Ödipus-Komplex
Erzählungen II. detebe 85/2

Don Juans Versuchung
Erzählungen III. detebe 85/3

Eine unmögliche Ehe
Erzählungen IV. detebe 85/4

Eine selbständige Frau
Erzählungen V. detebe 85/5

Brautnacht
Erzählungen VI. detebe 85/6

● Sean O'Faolain
Sünder und Sänger
Erzählungen. detebe 102/1

Trinker und Träumer
Erzählungen. detebe 102/2

Lügner und Liebhaber
Erzählungen. detebe 102/3

● Liam O'Flaherty
Armut und Reichtum
Erzählungen. detebe 103/1

Ich ging nach Rußland
Reisebericht. detebe 16

● George Orwell
Farm der Tiere
Eine Fabel. detebe 63/1

Im Innern des Wals
Ausgewählte Essays I. detebe 63/2

Rache ist sauer
Ausgewählte Essays II. detebe 63/3

Mein Katalonien
Bericht über den Spanischen Bürgerkrieg. detebe 63/4

Erledigt in Paris und London
Bericht. detebe 63/5

Auftauchen, um Luft zu holen
Roman. detebe 63/6

Das George Orwell Lesebuch
Herausgegeben und mit einem Nachwort von Fritz Senn. detebe 228

● Konstantin Paustowski
Das Sternbild der Jagdhunde
Erzählungen I. detebe 194/1

Die Windrose
Erzählungen II. detebe 194/2

● Edgar Allan Poe
Der Untergang des Hauses Usher
Erzählungen. detebe 105

● Saki
Die offene Tür
Erzählungen. Zeichnungen von Edward Gorey. detebe 62

● Jewgenij Samjatin
Attila, die Geißel Gottes
Geschichte. detebe 174

● Arthur Schnitzler
Spiel im Morgengrauen
Erzählungen. Ausgewählt von Hans Weigel. detebe 96

● Arthur Schopenhauer
Werkausgabe in 10 Bänden
nach der historisch-kritischen Ausgabe von Arthur Hübscher. detebe 140/1–10

Über Schopenhauer
Herausgegeben von Gerd Haffmans. detebe 151

● William Shakespeare
Sonette
Deutsch von Karl Kraus. detebe 137

Dramatische Werke in 10 Bänden
Übersetzung von Schlegel/Tieck. Illustrationen von Heinrich Füßli. detebe 200/1–10

Shakespeare's Geschichten
Sämtliche Stücke von William Shakespeare nacherzählt von Walter E. Richartz und Urs Widmer. detebe 220/1–2

● Alan Sillitoe
Die Einsamkeit des Langstreckenläufers
Erzählung. detebe 4/2

Samstagnacht und Sonntagmorgen
Roman. detebe 4/3

Ein Start ins Leben
Roman. detebe 4/4

● R. L. Stevenson
Werke in 12 Bänden
in der Edition und Übersetzung von Curt und Marguerite Thesing. detebe 199/1–12

● Teresa von Avila
Die innere Burg
detebe 203

● Henry D. Thoreau
Walden oder Leben in den Wäldern
Vorwort von W. E. Richartz. detebe 19/1

Über die Pflicht zum Ungehorsam gegen den Staat
Essays. Nachwort von W. E. Richartz. detebe 19/2

● Lydia Tschukowskaja
Ein leeres Haus
Roman. detebe 8

Untertauchen
Roman. detebe 148

● Robert Walser
Der Spaziergang
Erzählungen und Aufsätze. Nachwort von Urs Widmer. detebe 43

● H. G. Wells
Der Krieg der Welten
Roman. detebe 67/2

Die Zeitmaschine
Eine Erfindung. detebe 67/3

● Nathanael West
Schreiben Sie Miss Lonelyhearts
Roman. detebe 40/1

Tag der Heuschrecke
Roman. detebe 40/2

Eine glatte Million oder Die Demontage des Mister Lemuel Pitkin
Roman. detebe 40/3
Weitere Werke in Vorbereitung

● Oscar Wilde
Der Sozialismus und die Seele des Menschen
Essay. detebe 3

Die Sphinx ohne Geheimnis
Sämtliche Erzählungen. detebe 237

● Hans Wollschläger
Die bewaffneten Wallfahrten gen Jerusalem
Geschichte der Kreuzzüge. detebe 48

Die Gegenwart einer Illusion
Essays. detebe 113

Karl May
Biographie. detebe 112

Englische Literatur im Diogenes Verlag

● Eric Ambler

Die Maske des Dimitrios. Roman. Deutsch von Mary Brand und Walter Hertenstein. detebe 75/1
Der Fall Deltschev. Roman. Deutsch von Mary Brand und Walter Hertenstein. detebe 75/2
Eine Art von Zorn. Roman. Deutsch von Susanne Feigl und Walter Hertenstein. detebe 75/3
Schirmers Erbschaft. Roman. Deutsch von Harry Reuß-Löwenstein, Th. A. Knust und Rudolf Barmettler. detebe 75/4
Die Angst reist mit. Roman. Deutsch von Walter Hertenstein. detebe 75/5
Der Levantiner. Roman. Deutsch von Tom Knoth. detebe 75/6
Waffenschmuggel. Roman. Deutsch von Tom Knoth. detebe 75/7
Topkapi. Roman. Deutsch von Elsbeth Herlin. detebe 75/8
Schmutzige Geschichte. Roman. Deutsch von Günther Eichel. detebe 75/9
Das Intercom-Komplott. Roman. Deutsch von Dietrich Stößel. detebe 75/10
Besuch bei Nacht. Roman. Deutsch von Wulf Teichmann. detebe 75/11
Der dunkle Grenzbezirk. Roman. Deutsch von Walter Hertenstein und Ute Haffmans. detebe 75/12
Ungewöhnliche Gefahr. Roman. Deutsch von Walter Hertenstein und Werner Morlang. detebe 75/13
Anlaß zur Unruhe. Roman. Deutsch von Franz Cavigelli. detebe 75/14
Nachruf auf einen Spion. Roman. Deutsch von Peter Fischer. detebe 75/15
Doktor Frigo. Roman. Deutsch von Tom Knoth. detebe 75/16
Bitte keine Rosen mehr. Roman. Deutsch von Tom Knoth. detebe 75/17
Als Ergänzungsband liegt vor:
Über Eric Ambler. Zeugnisse von Alfred Hitchcock bis Helmut Heißenbüttel. Chronik und Bibliographie. Herausgegeben von Gerd Haffmans. detebe 187

● Beryl Bainbridge

Jung Adolf. Roman. Deutsch von Alexander Schmitz

● Mary Belloc Lowndes

Jack the Ripper oder Der Untermieter. Roman. Deutsch von Wulf Teichmann. detebe 68

● James Boswell

Dr. Samuel Johnson. Leben und Meinungen. Mit dem Tagebuch einer Reise nach den Hebriden. Herausgegeben und übersetzt von Fritz Güttinger. detebe 224

● John Buchan

Die neununddreißig Stufen. Roman. Deutsch von Marta Hackel. Mit Zeichnungen von Edward Gorey. detebe 93/1
Grünmantel. Roman. Deutsch von Marta Hackel. Mit Zeichnungen von Topor. detebe 93/2
Mr. Standfast oder Im Westen was Neues. Roman. Deutsch von Marta Hackel. Mit Zeichnungen von Topor. detebe 93/3
Die drei Geiseln. Roman. Deutsch von Marta Hackel. Mit Zeichnungen von Tatjana Hauptmann. detebe 93/4

● G. K. Chesterton

Pater Brown und Das blaue Kreuz. Erzählungen. detebe 212/1
Pater Brown und Der Fehler in der Maschine. Erzählungen. detebe 212/2
Pater Brown und Das schlimmste Verbrechen der Welt. Erzählungen. detebe 212/3
Eine Trilogie der besten Pater-Brown-Geschichten. Deutsch von Heinrich Fischer, Dora Sophie Kellner, Alfred P. Zeller u.a.

● Erskine Childers

Das Rätsel der Sandbank. Ein Bericht des Geheimdienstes. Roman. Deutsch von Hubert Deymann. Mit vier Karten. detebe 92

● Agatha Christie

Villa Nachtigall. Geschichten. Auswahl und Einleitung von Peter Naujack. Deutsch von Günter Eichel und Peter Naujack. detebe 71
Die besten Agatha Christie Geschichten. Deutsch von Maria Meinert, Marfa Berger und Ingrid Jacob. Ein Diogenes Sonderband

Wilkie Collins

Ein schauerliches fremdes Bett. Gruselgeschichten. Deutsch von Elizabeth Gilbert und Peter Naujack. Zeichnungen von Bob van den Born. Ein Diogenes Sonderband, auch als detebe 188

Joseph Conrad

Lord Jim. Roman. Deutsch von Fritz Lorch. detebe 66/1

Der Geheimagent. Roman. Deutsch von G. Danehl. detebe 66/2

Herz der Finsternis. Erzählung. Deutsch von Fritz Lorch. detebe 66/3

Guy Cullingford

Post mortem. Roman. Deutsch von Helmut Degner und Peter Naujack. detebe 132

Lord Dunsany

Smetters erzählt Mordgeschichten. Fünf Kriminalgrotesken. Deutsch von Elisabeth Schnack. Mit Zeichnungen von Paul Flora. detebe 190/1

Jorkens borgt sich einen Whisky. Zehn Clubgeschichten. Deutsch von Elisabeth Schnack. Mit Zeichnungen von Paul Flora. detebe 190/2

Eric Geen

Tolstoi lebt in 12N B9. Roman. Übersetzung und Nachwort von Alexander Schmitz. detebe 89

Rider Haggard

Sie. Roman. Deutsch von Helmut Degner. detebe 108/1

Cyril Hare

Mörderglück. Geschichten. Auswahl und Einleitung von Michael Gilbert. Deutsch von Elizabeth Gilbert. detebe 88

W. F. Harvey

Die Bestie mit den fünf Fingern. Gruselgeschichten. Deutsch von Günter Eichel und Peter Naujack. Mit Zeichnungen von Peter Neugebauer. detebe 191

Harry Hearson & J. C. Trewin

Euer Gnaden haben geschossen? Eine Geschichte aus Merry Old England. Deutsch von Hildegard Dießel. Mit Zeichnungen von Ronald Searle und einem Nachwort von Max Frisch. detebe 111

E. W. Hornung

Raffles – Der Dieb in der Nacht. Geschichten. Mit einem Vorwort von George Orwell. Deutsch von Claudia Schmölders. detebe 109

James Joyce

Die Toten. Erzählungen aus ›Dubliner‹ und Erzählstücke aus dem ›Porträt‹ und ›Ulysses‹. Deutsch von Dieter E. Zimmer, Klaus Reichert und Hans Wollschläger; dazu Aufzeichnungen von Georges Borach über Joyce und ein Nachwort von Fritz Senn. detebe 164

Gerald Kersh

Mann ohne Gesicht. Phantastische Geschichten. Deutsch von Peter Naujack. detebe 128

D. H. Lawrence

Der preußische Offizier. Sämtliche Erzählungen I. detebe 90/1

England, mein England. Sämtliche Erzählungen II. detebe 90/2

Die Frau, die davonritt. Sämtliche Erzählungen III. detebe 90/3

Der Mann, der Inseln liebte. Sämtliche Erzählungen IV. detebe 90/4

Der Fremdenlegionär. Autobiographisches und frühe Erzählungen. Fragmente. Sämtliche Erzählungen V. detebe 90/5

Der Fuchs. Sämtliche Kurzromane I. detebe 90/6

Der Hengst St. Mawr. Sämtliche Kurzromane II. detebe 90/7

Liebe im Heu. Sämtliche Kurzromane III. detebe 90/8.

Übersetzungen von Martin Beheim-Schwarzbach, Georg Goyert, Marta Hackel, Karl Lerbs, Elisabeth Schnack und Gerda von Uslar. Im Anhang des letzten Bandes Nachweis der Erstdrucke, Anmerkungen und Literaturhinweise.

Pornographie und Obszönität und andere Essays über Liebe, Sex und Emanzipation. Deutsch von Elisabeth Schnack. detebe 11

John Thomas & Lady Jane. Roman. Deutsch von Susanna Rademacher. detebe 147

Briefe. Aus dem Englischen von Elisabeth Schnack. Mit einer Einleitung von Aldous Huxley und einem Nachwort von Elisabeth Schnack. Personenverzeichnis, Chronik und Bibliographie im Anhang.

Sheridan Le Fanu

Carmilla, der weibliche Vampir. Eine Vampirgeschichte. Deutsch von Helmut Degner. Mit Zeichnungen von Edward Ardizzone. detebe 189

● Doris Lessing

Hunger. Erzählung. Deutsch von Lore Krüger. detebe 115
Der Zauber ist nicht verkäuflich. Afrikanische Geschichten. Deutsch von Marta Hakkel, Lore Krüger und Elisabeth Schnack. detebe 234

● Ian McEwan

Erste Liebe – letzte Riten. Acht Geschichten. Deutsch von Harry Rowohlt
Der Zementgarten. Roman. Deutsch von Christian Enzensberger

● W. Somerset Maugham

Honolulu. Gesammelte Erzählungen I. detebe 125/1
Das glückliche Paar. Gesammelte Erzählungen II. detebe 125/2
Vor der Party. Gesammelte Erzählungen III. detebe 125/3
Die Macht der Umstände. Gesammelte Erzählungen IV. detebe 125/4
Lord Mountdrago. Gesammelte Erzählungen V. detebe 125/5
Fußspuren im Dschungel. Gesammelte Erzählungen VI. detebe 125/6
Ashenden oder Der britische Geheimagent. Gesammelte Erzählungen VII. detebe 125/7
Entlegene Welten. Gesammelte Erzählungen VIII. detebe 125/8
Winter-Kreuzfahrt. Gesammelte Erzählungen IX. detebe 125/9
Fata Morgana. Gesammelte Erzählungen X. detebe 125/10.
Übersetzungen von Felix Gasbarra, Marta Hackel, Ilse Krämer, Helene Meyer, Claudia und Wolfgang Mertz, Eva Schönfeld, Wulf Teichmann, Friedrich Torberg, Kurt Wagenseil, Mimi Zoff u.a.
Rosie und die Künstler. Roman. Deutsch von Hans Kauders und Claudia Schmölders. detebe 35/5
Silbermond und Kupfermünze. Roman. Deutsch von Susanne Feigl. detebe 35/6
Auf Messers Schneide. Roman. Deutsch von N. O. Scarpi. detebe 35/7
Theater. Roman. Deutsch von Renate Seiller und Ute Haffmans. detebe 35/8
Damals und heute. Roman. Deutsch von Hans Flesch und Ann Mottier. detebe 35/9
Der Magier. Roman. Deutsch von Melanie Steinmetz und Ute Haffmans. detebe 35/10
Oben in der Villa. Roman. Deutsch von William G. Frank und Ann Mottier. detebe 35/11
Mrs. Craddock. Roman. Deutsch von Elisabeth Schnack. detebe 35/12
Der Menschen Hörigkeit. Roman in zwei Bänden. Deutsch von Mimi Zoff und Susanne Feigl. detebe 35/13 – 14
Meistererzählungen. Ausgewählt von Gerd Haffmans. Deutsch von Kurt Wagenseil, Tina Haffmans und Mimi Zoff. Ein Diogenes Sonderband

● Brian Moore

Die große viktorianische Sammlung. Roman. Deutsch von Alexander Schmitz
Katholiken. Roman. Deutsch von Elisabeth Schnack. detebe 178

● Edna O'Brien

Das Mädchen mit den grünen Augen. Roman. Deutsch von Margaret Carroux. detebe 246

● Sean O'Casey

Purpurstaub. Eine abwegige Komödie. Deutsch von Helmut Baierl und Georg Simmgen. detebe 2/1
Dubliner Trilogie: Der Schatten eines Rebellen / Juno und der Pfau / Der Pflug und die Sterne. Deutsch von Volker Canaris, Dieter Hildebrandt, Adolf Dresen und Maik Hamburger. detebe 2/2
Ich klopfe an. Autobiographie I. Deutsch von Georg Goyert. Mit einem Vorwort von Kaspar Spinner. detebe 150/1
Bilder in der Vorhalle. Autobiographie II. Deutsch von Georg Goyert. detebe 150/2
Trommeln unter den Fenstern. Autobiographie III. Deutsch von Werner Beyer. detebe 150/3
Irland, leb wohl! Autobiographie IV. Deutsch von Werner Beyer. detebe 150/4
Rose und Krone. Autobiographie V. Deutsch von Werner Beyer. detebe 150/5
Dämmerung und Abendstern. Autobiographie VI. Deutsch von Werner Beyer. detebe 150/6
In Vorbereitung:
Das Sean O'Casey Lesebuch. Eine Auswahl aus den Stücken, der Autobiographie und den Essays. Mit einem Vorwort von Heinrich Böll und einem Nachwort von Klaus Völker. Herausgegeben mit Anmerkungen, einer Chronik und Daten zur irischen Geschichte von Urs Widmer

● Frank O'Connor

Werkausgabe der Erzählungen, alle deutsch von Elisabeth Schnack

Und freitags Fisch. Erzählungen I. detebe 85/1

Mein Ödipus-Komplex. Erzählungen II. detebe 85/2

Don Juans Versuchung. Erzählungen III. detebe 85/3

Eine unmögliche Ehe. Erzählungen IV. detebe 85/4

Eine selbständige Frau. Erzählungen V. detebe 85/5

Brautnacht. Erzählungen VI. detebe 85/6

● Sean O'Faolain

Sünder und Sänger. Ausgewählte Erzählungen I. Deutsch von Elisabeth Schnack. detebe 102/1

Trinker und Träumer. Ausgewählte Erzählungen II. Deutsch von Elisabeth Schnack. detebe 102/2

Lügner und Liebhaber. Ausgewählte Erzählungen III. Übersetzt und mit einem Lebensbild von Elisabeth Schnack. detebe 102/3

● Liam O'Flaherty

Ich ging nach Rußland. Ein politischer Reisebericht. Deutsch von Heinrich Hauser. detebe 16

Armut und Reichtum. Ausgewählte Erzählungen. Deutsch von Elisabeth Schnack. detebe 103/1

● George Orwell

Farm der Tiere. Eine Fabel. Deutsch von N. O. Scarpi. detebe 63/1

Im Innern des Wals. Ausgewählte Essays I. Deutsch von Felix Gasbarra und Peter Naujack. detebe 63/2

Rache ist sauer. Ausgewählte Essays II. Deutsch von Felix Gasbarra und Claudia Schmölders. detebe 63/3

Mein Katalonien. Bericht über den Spanischen Bürgerkrieg. detebe 63/4

Erledigt in Paris und London. Sozialreportage. Deutsch von Alexander Schmitz. detebe 63/5

Auftauchen, um Luft zu holen. Roman. Deutsch von Helmut M. Braem. detebe 63/6

Das George Orwell Lesebuch. Herausgegeben und mit einem Nachwort von Fritz Senn. Deutsch von Tina Richter. detebe 228

● William Plomer

Turbott Wolfe. Roman. Deutsch von Peter Naujack. detebe 114

● Saki

Die offene Tür. Ausgewählte Erzählungen. Auswahl und Nachwort von Thomas Bodmer. Deutsch von Günter Eichel. Zeichnungen von Edward Gorey. detebe 62

● Olive Schreiner

Geschichte einer afrikanischen Farm. Roman. Deutsch von Elisabeth Schnack. detebe 233

● William Shakespeare

Sonette. Deutsch und englisch. Nachdichtung und Nachwort von Karl Kraus. detebe 137

Dramatische Werke in 10 Bänden in der Übersetzung von Schlegel/Tieck. Illustrationen von Heinrich Füßli:

Romeo und Julia / Hamlet / Othello. detebe 200/1

König Lear / Macbeth / Timon von Athen. detebe 200/2

Julius Cäsar / Antonius und Cleopatra / Coriolanus. detebe 200/3

Verlorne Liebesmüh / Die Komödie der Irrungen / Die beiden Veroneser / Der Widerspenstigen Zähmung. detebe 200/4

Ein Sommernachtstraum / Der Kaufmann von Venedig / Viel Lärm um nichts / Wie es euch gefällt / Die lustigen Weiber von Windsor. detebe 200/5

Ende gut, alles gut / Was ihr wollt / Troilus und Cressida / Maß für Maß. detebe 200/6

Cymbeline / Das Wintermärchen / Der Sturm. detebe 200/7

Heinrich der Sechste / Richard der Dritte. detebe 200/8

Richard der Zweite / König Johann / Heinrich der Vierte. detebe 200/9

Heinrich der Fünfte / Heinrich der Achte / Titus Andronicus. detebe 200/10

● Alan Sillitoe

Der Sohn des Witwers. Roman. Deutsch von Peter Naujack

Die Einsamkeit des Langstreckenläufers. Erzählung. Deutsch von Günther Klotz. detebe 4/2

Samstagnacht und Sonntagmorgen. Roman. Deutsch von Gerda von Uslar. detebe 4/3

Ein Start ins Leben. Roman. Deutsch von Günter Eichel und Anna von Cramer-Klett. detebe 4/4

● Muriel Spark

Memento Mori. Roman. Deutsch von Peter Naujack. detebe 29/1
Die Ballade von Peckham Rye. Roman. Deutsch von Elisabeth Schnack. detebe 29/2

● Robert L. Stevenson

Werke in 12 Bänden in der Edition und Übersetzung von Curt und Marguerite Thesing:
Die Schatzinsel. Roman. detebe 199/1
Der Junker von Ballantrae. Roman. detebe 199/2
Die Entführung. Roman. detebe 199/3
Catriona. Roman. detebe 199/4
Die Herren von Hermiston. Roman. detebe 199/5
Der seltsame Fall von Dr. Jekyll und Mr. Hyde / Der Pavillon auf den Dünen. Zwei Novellen. detebe 199/6
Der Selbstmörderklub / Der Diamant des Rajahs. Zwei Geschichtensammlungen. detebe 199/7
Die tollen Männer und andere Geschichten. detebe 199/8
Der Flaschenteufel und andere Geschichten. detebe 199/9
Der Leichenräuber und andere Geschichten. detebe 199/10
In der Südsee. Ein Reiseabenteuer in zwei Bänden. detebe 199/11–12

● Bram Stoker

Draculas Gast. Gruselgeschichten. Deutsch von Erich Fivian und H. Haas. Zeichnungen von Peter Neugebauer. detebe 73

● Julian Symons

Auf den Zahn gefühlt. Fünfzehn Detektivgeschichten. Deutsch von Thomas Schlück. detebe 193

● H. G. Wells

Der Krieg der Welten. Roman. Deutsch von G. A. Crüwell und Claudia Schmölders. detebe 67/2
Die Zeitmaschine. Roman. Deutsch von Peter Naujack. detebe 67/3

● Oscar Wilde

Der Sozialismus und die Seele des Menschen. Ein Essay. Deutsch von Gustav Landauer und Hedwig Lachmann. Frontispiz von Walter Crane. detebe 3
Die Sphinx ohne Geheimnis. Sämtliche Erzählungen. Zeichnungen von Aubrey Beardsley. Herausgegeben und mit einem Nachwort von Gerd Haffmans. detebe 237

● P. G. Wodehouse

Lustige Geschichten. Aus dem Englischen von Günter Eichel. Nachwort von Fritz Senn. Ein Diogenes Sonderband

● Gespenster

Englische Gespenstergeschichten von Daniel Defoe bis Elisabeth Bowen. Herausgegeben von Mary Hottinger. Mit 13 Zeichnungen von Paul Flora. Ein Diogenes Sonderband

● Mehr Gespenster

Die besten Gespenstergeschichten aus England, Schottland und Irland. Herausgegeben von Mary Hottinger. Ein Diogenes Sonderband

● Wahre Morde

Die berühmtesten Kriminalfälle und -prozesse aus England. Herausgegeben von Mary Hottinger. Deutsch von Peter Naujack. Ein Diogenes Sonderband

● Liebesgeschichten aus Irland

Von G. B. Shaw bis Frank O'Connor. Herausgegeben und übersetzt von Elisabeth Schnack. Ein Diogenes Sonderband, auch als detebe 198

● Das Diogenes Lesebuch englischer Erzähler

Geschichten von Stevenson bis Sillitoe. Mit einem einleitenden Essay von Somerset Maugham, Zeittafel, bio-bibliographischen Notizen und Literaturhinweisen. Herausgegeben von Gerd Haffmans.
detebe 118

● Das Diogenes Lesebuch irischer Erzähler

Geschichten von Oscar Wilde bis Edna O'Brien. Mit einleitenden Essays von Frank O'Connor und James Joyce, Zeittafel, bio-bibliographischen Notizen und Literaturhinweisen. Herausgegeben von Gerd Haffmans.
detebe 119